The Future of Success

賣命工作的誘惑

新經濟的矛盾與選擇

羅伯・萊奇 著
梁文傑 譯

目錄 CONTENTS

目錄
CONTENTS

目錄 CONTENTS

目錄 CONTENTS

序言

幾年以前，我有一份讓我忙得不可開交的工作。我不能說自己上癮了，因為「上癮」表示非理性的沈迷，有一點受虐狂和強迫的意味。但問題是，我不但熱愛這份工作，還覺得工作量不夠。身為內閣職員是我做過最棒的工作。我每天早上都迫不及待去上班，直到深夜還不想離開。就算待在家裡，我的心還是掛在工作上。

毫無意外，我生活中的其他部分都隨之萎縮。我失去和家人的互動，眼裡看不到太太和兩個兒子，和老朋友也失去聯絡。我甚至失去了自己，除了和工作有關的那部分之外。有一天早上上班以前，我到小兒子的房間裡和他道別。他勉強張開眼睛，要我無論多晚回來都要叫醒他。我說我回家的時候他早就上床睡覺了，但他依然堅持。我問他為什麼，他說只是想知道我有沒有回家。直到今天，我還是不能解釋當時是怎麼回事，但我突然決定要放棄這份工作。

宣布辭職以後，我接到一大堆來信。大多數人同情我的決定，但有些人很不高興。他們認爲我的辭職傳達出一個嚴重的訊息，意味著均衡的生活和高工作量無法調和。許多在第一線工作的婦女正在和不斷訓誡她們不要犧牲過多的舊觀念奮戰，而我的行爲正好傳達了同樣的訊息。此外，有人覺得我有辦法找到薪水一樣高的工作，有爲後半輩子選擇的空間，而他們沒有選擇。他們若不長時間工作就付不出房租、開不了伙。對這些人來說，我傳達的訊息也是錯誤的。還有人憤怒地寫信給我，叫我不要覺得自己很清高；勤奮工作才算清高，爲了家庭而放棄重要的工作並不是。

也許我該早點意識到我的生涯選擇具有象徵性——畢竟我是勞工部長。我根本無意教人怎麼生活，我也不覺得我的選擇有什麼清高可言。但問題是，我之前的生活只是一種盲目而無意識的選擇。直到我兒子要我叫醒他，才喚醒我去做明確而有意識的選擇。

這段經歷讓我看到很多過去沒看到的，雖然我大半輩子都在研究勞動和經濟。我開始注意大多數人爲了工作和生活所做的奮鬥與掙扎，不論男女、不論是社會新鮮人還是早就經歷過這些問題的中年人。選擇有時是很明確的，但多數時候是很隱微的，並以多樣的面貌出現。這使我想把宏觀的全球經濟變遷和微觀的個人生涯結合起來研究。成果就是這本書。

本書要討論的是「工作」和「生活」，以及爲什麼越來越難兩者兼得。探討新經濟巨大活力的著作已經非常多，但很少討論到新經濟對於我們作爲「人」的意義，也沒有討論到我們對生活方式的選擇性。家庭的衰弱、社群的崩解以及個人完整性的危機是這個繁榮時代最深切的憂慮。這些憂慮和巨大的利益（財富、創新、新機會和新選擇）一樣，都是新經濟的本質。

我的目的是要激起討論，而不是勸告大家「放慢腳步，享受生活」。如果把工作和生活其他層面的平衡視爲個人事務，就會忽視正在改變的大趨勢。這不只是個人選擇的問題，也不只是個人平衡的問題，而是工作報酬、工作結構和社會平衡的問題。

我們面對的中心矛盾是：與新經濟的科技基礎（積體電路、個人電腦和網路）在二十五年前剛剛崛起時相比，大多數人的收入和物質生活都提高了。你會以爲工作之外的生活會更好，而不是更難過。但大多數指標卻顯示，現在的工作時間比從前更長也更緊張，留給非工作的生活時間和精力在減少。

爲什麼會這樣呢？如果工作的目的是要更富有，爲什麼生活會越來越貧乏？爲什麼不能用物質所得來豐富工作以外的生活？在一九三〇年經濟大蕭條最黑暗的時代，經濟學家凱因斯曾樂觀預言，英國經濟在一百年後將成長七倍，每人每週只要工作十五個小時。就大多數人在二〇三〇年的物質生活會更富足來說，凱因斯可能是正確的。但就工作時間的縮短來說，凱因斯卻是錯誤的。

當然，並不是所有人的物質生活都比二十五年前更好。不但有些人沒有更好，大多數人還被迫要更賣力工作。弔詭的是，越有錢的人工作時間越長、越緊張，就算不工作時心裡也是七上八下。緊張的工作不一定讓你過得更好，但要過得更好似乎就得更緊張。

想一想下面違反直覺的統計資料：美國大學畢業生的平均收入比高中畢業生多七〇到八〇％，是二十五年前的兩倍。光從這一點，也許你會認爲大學畢業生的工作要比高中畢業生輕鬆。你錯了。有大學文憑的人才是長時間工作的人。你也可能認爲，既然大學文憑的附加價值是以前的兩倍，現在的大學畢業生應該比二十五年或三十年前較不擔心錢的問題。但你又錯了。研究顯示，他們比過去更看重錢。

這是怎麼回事呢？是大學畢業生變得更貪婪、更往錢看嗎？有可能，但理由不足。是國民性格在幾十年間改變了嗎？不太可能，因爲國民性格不會變得這麼快。

美國人的年平均工作時間比歐洲人多三百五十個小時，甚至比以勤勞著稱的日本人還多。你也許以爲美國人會寧願少工作一點、少拿點錢也無妨。但願意這麼做的美國人只有八％，相較之下，德國人有三八％，日本人和英國人則有三〇％。

美國人有其他先進國家人民沒有的工作狂基因嗎？還是美國人的工作令人樂在其中？兩者都不太可能。幾十年前，美國人的工作比其他國家的人輕鬆，現在是怎麼回事？

我們聽到越來越多美國人高呼要放慢腳步，但大多數人的腳步卻越來越快。美國人比以前更注重家庭價值，但家庭卻越來越萎縮，家庭聯繫越來越淡薄——小孩越生越少，甚至不生；結婚率越來越低，同居率越來越高；家庭的功能都外包給餐廳、心理醫生、輔導員和保母。美國人比以前更愛高喊「社區」價值，但社區卻越來越成爲同等收入者的聚居地；有錢人高門大院，窮人則孤立無援。

這是在搞集體僞善和集體妄想嗎？也許都不是。大多數美國人似乎眞的想追求更平衡的生活，但問題是「工作」和「生活」越來越難平衡，因爲在新經濟的運作之下，人們被迫更注重工作而非個人生活。

我的觀點大致如下：

新經濟爲有天賦和技術的人提供了前所未有的機會——各種絕佳的交易、投資和工作的機會。人類歷史上從來沒有這麼多且容易的選擇機會。

科技是動力來源。通訊、運輸和資訊的新科技興起於一九八〇和九〇年代，現在更以瘋狂的速度前進。新科技讓我們能從世界各地找到更好的交易，因而強化了廠商之間的競爭，激起了令人驚異的創新浪潮。爲了存活，所有組織都要經過不斷的劇烈改造，要降低成本、增加價值和創造新產品。於是我們有了更高的生產力，更好、更快、更便宜的產品和服務。

這些變化爲我們帶來巨大而明顯的經濟利益。但就生活的其他層面（穩固的關係、持續性和穩定性）而言，則是問題重重。這裡頭沒有什麼惡魔的陰謀，也沒有邪惡公司和貪婪資本家設下的陷阱。事情的邏輯很簡單：買方越容易轉向更好的選擇，賣方就得越努力留住每一個消費者、每一個客戶、每一個機會和每一份合約，結果我們的生活變得越來越緊張。

經濟變遷的速度越快（因爲新發明和新機會讓消費者和投資者可以迅速轉向），就越難確定下一年或下個月的收入、工作內容和工作地點。結果我們的生活變得越來越難預測。

廠商在產品和服務上的競爭越激烈，就越需要有眼光和創意的人。因爲這種人的市場需求大於供給，他們的收入因此扶搖直上。同樣的競爭則使事務性工作者的收入減少，因爲可以被硬體和軟體或世界上其他地方的工人所取代，而且速度更快、成本更低。結果收入差距越來越大。

當選擇性越大，改變選擇越容易，有同等教育程度、收入和身體狀況的人就越容易在社區、辦公室、學校或大學中聚集在一起，也越容易把落後、學歷低、貧窮、病弱和其他條件不利的人排除在外。結果社會變得越來越分化。

簡而言之，新經濟的好處是以工作更緊張、生活更不安全、經濟差異和社會分化更嚴重爲代價。當消費者更容易擁抱更好的選擇，所有人就得更辛苦工作去滿足他們。當收入變得難以預料，我們就得牢牢抓住每一個機會。當生活的賭注提高——不是極端富有就是極端貧窮，不是住在特別高檔就是特別低劣的社區——我們就得使盡渾身解數以擠進優勝者的圈圈，讓我們的下一代也能安然成長。

這些代價也許是值得的。絕佳的交易讓我們在各方面獲益。但就算現在值得，未來是否也如此呢？

不可否認，新經濟有許多值得讚美的地方，美國式資本主義在全球高唱凱歌不是沒有道理的。新盧德主義者（Neo-Luddite）認爲高科技會消滅工作並讓多數人陷入貧困，這是錯誤甚至愚昧的。孤立主義者和仇外主義者主張樹立壁壘以減少貿易和移民，這是盲目而危險的。偏執的民粹主義者認爲跨國公司和資本家在暗中設計大陰謀，這也不過是幻想。絕大多數美國人都品嘗著新經濟的果實。身爲消費者和投資者，我們都從新經濟提供的絕佳交易中獲益。推動新經濟的正是我們自己。

然而……儘管新經濟如此神奇，我們還是失去了部分生活——家庭、朋友、社區和自我，而且所失和所得幾乎一樣多。在某種重要的意義上，它們是一體兩面。隨著新經濟加速運轉，所失和所得也跟著增加。我們得在一個更激烈競爭的體系中更賣力工作，在一個所有人都得自我推銷的體系中更努力推銷自己，在一個更容易按照財富、教育和健康程度來篩選人的體系中被篩選。這些現象都是自行推動的。捲入這個體系的人越多，不平衡的狀況就越嚴重，每個人就越難選擇不同的道路。

我在接下來的章節中將探討這些趨勢及其意義。本書第一部分探討新的工作型態，闡釋新科技如何改變工作的報酬和結構。第二部分探討新的生活型態，討論新工作對自我、家庭和社區所造成的影響。第三部分探討面對新工作和新生活時所必須做出的個人選擇和社會選擇。

我所談的趨勢確實很強大，但並非不可逆轉，至少不是完全不能改變。如果眞有意願，我們可以重新設定成功的衡量標準。生命的價值不等於財產淨值，社會的品質也不等於國民生產毛額。如果眞有意願，我們可以選擇更完整、更均衡的生活，可以創造更均衡的社會。唯一的問題是：我們眞有這樣的意願嗎？

第一部
新的工作型態

1 絕佳交易的時代

我們正進入一個「絕佳交易的時代」，擁有幾乎無窮的選擇，容易見異思遷。這是新經濟的第一原理，瞭解這個原理是瞭解我們生活其他層面如何隨之變遷的第一步。一切都從這一點出發。

誰不想要更好的選擇？只有懶鬼、傻瓜或天生容易滿足的人，才不想要更好、更便宜的產品、報酬率更高的投資標的、薪水更高的工作和更舒適的社區。你理該得到這些東西，你的家庭也是。

這就是資本主義。只有大家都追求最佳選擇，這個制度才能運作，否則生產者就不會去創新或投資，而會把錢和精力浪費在錯誤的地方。當千百萬人都追求更好的東西，所有參與者就得遵照市場法則。所有人都必須竭盡全力去滿足其他人的喜好，所有資源都得到最佳運用。人們賣力工作，經濟突飛猛進。

這一直是美國式的道路，也即將成爲全世界的道路。美國是一個由尋找更好交易機會的離鄉背井者所締造的國家。好幾代的移民都加入這個追尋的行列。雖然《人權宣言》沒有明白列出「離開」的自由，這個自由卻是我們最珍惜的。❶

我們仍然在遷移。「你是哪裡人？」已經變成一個很難回答的問題。每年有一七%的美國人搬家，四〇%的小學生在上三年級之前換過學校。每年有將近三%的家庭搬到別州，二〇%的人換工作。更換配偶或伴侶的人越來越多，雖然不是每年都換。做拉皮、隆乳和壯陽手術的人也在增加。人們就算不讓身體煥然一新，也想讓生活煥然一新。「安定」的概念——穩定、定居、安於次佳選擇——和美國的國民性格是互相衝突的。

我每次到國外都會被問：爲什麼美國人總是對現狀不滿？我說這也許是基因的問題，或者是喝的水不同吧！美國歷史學者透納（Frederick Jackson Turner）認爲美國的西部邊區代表「對傳統束縛的大逃離」，並嘆息拓荒時代在十九世紀末的結束將使美國精神消逝。但透納沒來得及看到汽車，也想不到會有陽光地帶（Sunbelt）、郊區、電視和網路。美國人是限制不住的。

美國人一直把「去吧」這句話掛在嘴上。《紐約論壇報》主編葛瑞理（Horace Greeley）在一個半世紀前說過一句名言：「到西部去吧，年輕人。」一個世代以前，我們把很有企圖心的人稱爲「起而行者」，這在當時是最高的讚美。如果你對一件雄心勃勃的事情感到猶豫，美國人一定會跟你說「去做吧」（我曾經在高空彈跳前猶豫不決。剛開始，大腦中理性的部分占了上風，但忽然有一個陌生人大叫這三個字，結果我差一點連繩子都沒綁就跳下懸崖）。該做而不做表示你這個人的精神力量薄弱，缺乏積極進取的精神。

好還要更好的精神並非源於美國，也非美國文化所獨有，只是在美國發揮得更徹底。歷史上大部分時間裡，人類都是住在小村莊，被森林、沙漠、大草原、崇山峻嶺和其他危險而神祕的地理環境所包圍。旅行很危險，資訊也很缺乏。大多數人老死在出生的村莊。我們可以把現代西方文明史（始於十五世紀的大探險、大擴張和大發明時期）看成是一部不斷追求更好選擇的歷史。

出於好奇和貪婪，西方資本主義不斷成長和擴張。重大的行動構成了眾所周知的歷史篇章：大探險時代、帝國主義時代、第一次工業革命時代，以及二十世紀初導致產業合併的大規模生產時代。但這種劃分過於簡化。歷史從來不是這麼井井有條，也不像這些名詞講得那麼單純。歷史上充滿了混亂、倒退、反動和血腥鎮壓。唯一確定的是，只有那些有野心又擁有最佳工具的人才是贏家。如果歷史是由勝利者所寫的，也只有最有企圖心的人才能獲勝。

世界正處於另一個大開創的階段，一個絕佳交易的時代。這個時代在幾十年前發軔於美國，蓄積的動力越來越大，速度也越來越快。它奠基於科技和想像力之上，結合了網路、無線衛星、光纖、大幅躍進的電腦計算能力、寬頻、人類基因圖譜以及基因與分子的改造方法，讓我們看到一個即時的全球大賣場，其中有無限的選擇和可能。

今天，要尋求更好的東西在人類史上可說是前所未有的容易，而且以後還會更加容易。我們將能從任何地方以最好的價格迅速找到正合自己所需的東西。

正合你所需

到目前爲止，量身訂做的最大難題在於個別生產需要額外成本。我身高只有四呎十吋，腰圍卻比十歲小男孩大許多，這表示如果我想穿得稱頭一點，我的衣服就得特別訂做。這就是耍氣派的痛苦，而我通常不在這上面花腦筋。最近我發現一個服裝製造商的網站，可以輸入我的尺寸，選擇襯衫和褲子（還有質料和款式）。沒幾天，這些衣服就送到家門口。第一次訂購時，我還以爲他們會將我這種奇怪的尺寸當成輸入錯誤而自行更改（這種事確實發生過）。結果襯衫和褲子都非常合身，我這才想到：我不是在和裁縫師打交道，而是在和沒有獨立判斷能力的電腦打交道。

在前工業時代，所有產品都得手工製造，價格也很貴。大規模生產來臨之後，我們有了以電力推動的巨大機器，可以大量製衣的紡織機，一次生產幾萬支火柴、香菸和釘子的機器，提煉汽油、糖、酒和化學品的大鍋爐，鍛鍊鋼鐵的大熔爐，生產汽車零件的巨大模具，和超大型的生產線。當生產規模擴大，單位成本也隨之下降。

不過，大規模生產也造成單調性。美國首次大規模生產的鞋子就叫做「單一鞋」，因爲不分左右腳。亨利・福特的生產線降低了汽車成本，也減少了選擇性。他的名言就是：「消費者可以買到任何一種顏色的車子，只要是黑色就行。」

要確保利潤，大規模生產者必須在投資時預測產品的銷售量和價格。準確的預測帶來高報酬，錯誤的預測則可能導致破產。二十世紀企業管理的核心工作就是穩定市場以增加勝算，基本上有四項原則：（1）爲了防止供應商提高價格或競爭對手用新產品搶走市場，生產者會併購其他廠商，少數生存者即可私下協調生產計畫。到了二十世紀中，經濟學家開始大力反對「寡占」，例如三大汽車廠和五大製鞋廠。（2）如果寡占沒有自行出現，主管機關會出面設定價格和標準，以保障消費者免於不負責任的生產者所侵害，也保障產業的穩定性，防止過度競爭。（3）爲了避免非法罷工和停工，生產者終於承認工會組織。到了二十世紀中，美國工人大約有四〇%加入工會，而且通常是產業別的工會，這可以避免個別公司陷入競爭劣勢，也可以把工資的增加轉嫁給消費者。（4）爲了讓消費者購買預定的產品數量，生產者開始大規模勸說。紐約市的麥迪遜大道充斥著廣告歌曲和產品競賽，二十世紀中更出現三十秒電視廣告這種美式天才發明。美國和全世界的消費者就這樣被引誘去購買大量製造的產品。大規模勸說並不是萬靈丹，福特汽車的Edsel系列和新可口可樂就是失敗的例子，但個別的失敗並不影響總體勸說的有效性。

只要大規模生產的產品有廣大而穩定的市場，消費者就可以用更便宜的價格買到更多東西。這是一個良性循環：大規模生產帶來大規模行銷，刺激出大量消費，更進一步擴大生產規模。但要確保大規模生產的效率，就得限制選擇性，所以每年的產品都差不多。這是經濟繁榮的小小代價。

新經濟則截然不同。我在《國家的職責》（*The Work of Nations*）詳述過這個興起於一九七〇年代的趨勢：從大量生產轉爲高品質生產，從標準化轉爲量身訂做，在鋼鐵、塑膠、化學、電子通訊、運輸、金融、娛樂等各種產業皆是如此。數位科技逐漸使賣方能夠以低成本爲個別消費者提供量身訂做的產品，不再需要尋求廣大而穩定的市場。

爲什麼我可以這麼便宜地買到訂做的襯衫和長褲？因爲有程式化的機器人、數位控制的儀器、電腦化的生產線和網路。不像傳統的機器和生產線只能重複做同一件事，這些新系統可以在做完一種產品之後立刻再做另一種。我的訂單會直接輸入電腦，轉成數位訊號後傳給另一台機器，片刻之間就能裁出一塊合乎我尺寸的布料，縫製完成後把成品送給我。在整個過程中，人類只需要設定機器人的程式、設計軟體、建構網站和行銷。但也許有部分工作還是得用手工，這些工人以第三世界的工資水準在衛生條件極差的環境下工作。

新的全球大賣場把買方和可以直接滿足其需求的賣方連結起來，避開了量產瓶頸。訂做已經成爲常態。你可以訂做自己想要的電腦、汽車和每日（或每小時）新聞。Nordsdam.com在耶誕節可以賣出幾百萬種爲消費者訂做的鞋子。我有一位建築師朋友訂購特製的門和窗戶，工廠便可用雷射機器切割他需要的木料。「隨客意印刷」讓你能立刻取得出版商電腦資料庫裡的絕版書。特製的家電、個人化的音樂、訂做的維他命和藥品都將出現在消費者眼前。

雖然規模經濟仍很重要，但重要性已大不如前。當前的趨勢不再是大量製造一成不變的產品。事實上，在消費者追求新奇與獨特的時代，大規模生產是有風險的。只依靠幾條生產線的公司很容易失去競爭優勢。產品的「生命期」不斷縮短，舊軟體很快會被新軟體淘汰。隨時會冒出「殺手級方案」（killer apps）——新概念、新產品和做生意的新方法——突然改變整個產業的競爭條件。

是的，企業正在合併爲「電子通訊—娛樂—網路—金融」的巨獸，零售通路不斷消失。不過在多數案例中，合併不是爲了擴大生產規模，而是爲了行銷和建立品牌（下一章會談這個問題）。廣大和穩定的市場不再是低成本生產的必要前提，因此很少有公司仍以出售定量產品爲目標。這表示企業不再依賴穩定的供貨來源和可預期的大規模市場。而寡占的產業也越來越少，因爲比對手更好、更快和更便宜才是企業競爭力所在。大規模行銷正讓位給針對特定消費群的鎖定性行銷。網路電視的觀眾正在減少，大量行銷的雜誌也正在流失讀者。

靈活的企業紛紛投入新市場，因爲它們不需要大規模生產就能賺錢。音樂家和樂迷繞過大量生產的唱片公司，直接在網路上聯繫。古董商在網路拍賣區尋找買主。股票交易者則繞過證券交易所和經紀商，一天二十四小時都能在網上買賣。市面上有各種品味的雜誌（雖然很多是一點品味都沒有），幾乎每天出版三種新雜誌。你可以找到很多供人訂講的特殊商品，如威爾斯、東肯塔基或十八世紀韓國的音樂，也有文藝復興時期的情詩。我最近甚至發現一個拍賣模特兒卵子的網站。

小企業請人架設網站，每月付租金給網路供應商（ＩＳＰ），同時租用訂貨和會計軟體，把貨運外包給其他公司，利用銀行管理信用卡交易。有任何需要，可以上網尋找全球的資源。網路讓企業找到各種服務，也可以找到消費者。

法規障礙也在消失，主要是因爲新興企業有足夠的經濟實力去放寬或躍過法律的限制。拚命打折的航空公司、創新的銀行和金融機構、有線和無線的電子通訊公司都發現了獲利的機會。而老舊的城牆正在崩解。

我並不是說所有大規模生產的企業及其必要的日常工作都會消失，我談的只是變化的趨勢。新的通訊、運輸和資訊科技改變了競爭條件，一方面降低規模經濟的優勢，一方面獎勵能夠快速改良和創新、使消費者更滿意的賣方，所以消費者才能更容易找到正好符合需求的商品。

來自全球各地

在過去，距離是交易的第二大障礙。人們使用的東西大多來自近處，一旦離群索居就得自己動手做。亞當・史密斯在十八世紀觀察到：「在散落於蘇格蘭高地的小鄉村裡，每個農人都得身兼屠夫、麵包師傅和釀酒人。」即使到了十九世紀中期，大部分的經濟體仍是地方型經濟。各地的聯繫非常困難，從紐約寄信到芝加哥得花上十天。

現代工業時代來臨後，我們有了蒸汽機、鐵路和電報。食物可以長途運送而不會腐壞。訊息可以在幾分鐘之內傳遍全國。物資可以從幾千哩外的地方取得，用船運到中央集散地經過大量處理，再把成品輸往各地。

二十世紀又出現了貨輪、高速公路、巨無霸噴射機、越洋海纜、光纖電纜和洲際通訊衛星。大工廠可以設在工資便宜、運輸便利的任何地方。雜貨店讓位給百貨公司，後來又出現連鎖商店、大型折扣賣場、超級商店，以及商品型錄驚人的購物專線，可以由美國快遞或聯邦快遞隔天送到府上。

在新興的全球大賣場中，距離已經不是障礙。我們已經從實體經濟走向服務經濟，無重量的服務可用極低的成本輸送到全世界。越來越多商品是由衛星或光纖電纜以光速傳送。在一九八四年，一台新電腦有八〇%的成本是硬體，二〇%是軟體。這個比率在今天不但倒過來，差距也越來越大。硬體終將消失，取而代之的將是如薄片般的裝置，像軟體一樣可以從各處下載和升級。

我訂購衣褲的眞正價值，來自於能把訂單轉成數位指令、監控每一個生產步驟、再把成品快速送到我家的生產系統。爲了節省工資，美國的製衣業在二十世紀上半葉從新英格蘭移到美國南方，再移到東南亞。它們現在大多轉型爲設計、行銷和軟體系統公司，位於設計師、行銷人員和軟體工程師群聚之處。縫製和裁剪只占成衣價格的一小部分，我的錢大部分都花在無形的服務上。

既然按一下滑鼠就能解決一切，買東西就不必考慮距離。地方經濟不會很快消失，但會逐漸被網路侵蝕。你以前買書只能看鄰近的書店有沒有存貨，或看它們能不能幫你訂購，後來出現種類多、折扣多和訂書快的大型連鎖書店，又出現像亞馬遜這種網路書店，所以就算你和書店相隔百哩，還是能在幾天內拿到任何一種書。今天，「電子書」可以直接從作者那裡傳到你的電腦。再過不久，書本的內容就可以從網站下載到電子書閱讀器，讓你晚上可以躺在床上看。

你不必再到附近的藥局買藥，也不必再到附近看醫生，在網路醫院看病便宜多了（雖然他們對你的信用卡額度比對你的病有興趣）。如果網路醫生不幫忙，你也可以在網上從世界各地買到荷爾蒙、類固醇、壯陽藥和所有想要的藥品，不需要任何處方（這個景象會讓食品藥物管理局和家長不寒而慄）。

電影和錄影帶將直接從剪接室由網路傳送到你家，電影院就已經開始這麼運作了。演講和討論會的內容、書籍、教材和考試卷將從各地的教育中心傳到各地學生手上。

你不必再理會附近的車商和修車廠。汽車價格絕大部分決定於其中的電子裝置，當你踩油門或轉動方向盤時，這些裝置會對車子下達最正確的指令。車子的其他部分不過是塑膠和鋼鐵，只是一個沒有大腦的軀殼。過不了幾年，技術人員就可以在遠處維修汽車的大腦，就像電話公司的技術人員可以從遠端維修你的電話線一樣。你不必到車廠做大腦移植就可以將車子升級，得到更強的馬力、更省油和更高的效能。你可以從網上得知最新功能，只要按一下你想要的，車庫裡就有一台全新的車子。車子的外表還是一樣，但大腦升級後的效能截然不同。

同樣地，未來的冰箱也可以在線上維修，不必找水電工。電腦系統可以用網路來維修、設定和升級。心律調節器也可以由網路醫生來調整。

以前的人只借錢給鄰居。還記得在美國電影《風雲人物》中，吉米．史都華向急著提款的客戶說明錢現在不在銀行裡那一幕嗎？「你的錢不在這裡！你的錢借給喬了……他就住你隔壁！」這已經是從前了。現在，人們把錢放在全球型基金，讓資金在世界各地以最低的風險尋求最高的報酬。近幾年來，金融證券全球交易額的成長速度比富裕國家的國民生產毛額還快。唯有猜對這些錢的流動方向才能得到最大的利潤。

貿易障礙在這數十年中不斷被消除，現在最大的趨勢是有形商品越來越少，無形商品越來越多。在國際貿易中，錄影帶、音樂、電影、電視節目、新聞、設計、軟體、企業服務（管理顧問、行銷、金融、法律、工程設計）等無形商品所占的比重越來越大，而且都不需要和顧客離得很近。在二十世紀末，平均每一美元進出口商品的重量要比三十年前少三〇%，而且仍加速減輕中。

科技和全球化好像是兩種獨立的趨勢，但實際上是一體的。全球貿易和金融要靠科技的進步來迅速傳送數位符號，而科技的進步是因爲全球性的激烈競爭。英語和使用率最高的軟體成爲全球普遍的通訊系統，因爲許多新科技都以它們爲基礎。

先進國家的民眾花費越來越多錢在無重量、無形的東西上，這種趨勢讓守舊的人很不舒服，但其實沒什麼好擔心的。當人們可以輕易地購買食物、衣服、房屋和其他有形的生活必需品，心理層次的需求就會升高，花在這方面的錢也越來越多，包括對速度、便利、娛樂、知性刺激、幸福感和經濟安全感的需求。很少人會覺得完全滿足，而更多的財富只會激起更大的胃口。

我有一個鄰居在車庫頂上裝衛星天線，可以收看一千五百個頻道。我不知道她要這麼多頻道做什麼，光是轉完全部的頻道就要好幾天，看個電視節目表也得花上大半天時間。但她就是喜歡。在本書撰寫期間，世界上有兩百八十萬個網站，網頁數高達八億，就算最龐大的搜尋引擎也只能搜尋到其中的一六％。而當你在閱讀這本書時，網站數可能已經變成原來的三倍。要尋遍這片汪洋大海可得小心淹死。然而，我的小兒子和他的朋友仍然每天花幾個小時上網、下載音樂、交換影像、跟人聊天，所有動作同時進行，速度之快讓三十歲以上的人無法想像。

物美價廉

交易的第三大障礙是缺乏資訊，但這也已經消失。我還記得在一九五〇年代初，一個暑熱的星期六下午，我跟著父母在紐約皮克西爾大街一家接一家看汽車。每一次快要下決定的時候，我父親就要「最後一次」看看別家有沒有更便宜的車子。到了傍晚，父母已經累得發昏，我也感到頭痛。每個人都知道「廠商建議價格」只是討價還價的起點，而車商口中的「對不起，眞的不能再低了」只會讓你猶豫再三。要買家電、五金或床單枕頭這類便宜的東西，可以看地方報紙的折價廣告，但總是「限時供應」或「限量供應」。大型折扣商總是信誓旦旦地說不會有別家賣得更便宜，你得知道上哪兒去找更好的交易才能和他們討價還價。

要比較品質就更困難了。由於大規模生產和寡占，所謂的高檔貨其實都差不多。但同樣的東西可以用不同的包裝。汽車經銷商連底盤都可以拿來做廣告。五天四夜百慕達「豪華」度假村的套裝行程總是讓人大失所望：坐的是一路得加兩次油的老舊DC-9型飛機，睡的是早就沒有彈性的彈簧床，度假村上次裝潢是在一九四八年。美國很多診療中心在宣傳手冊上看來像天堂，進去以後才發現根本不是那麼回事：漫不經心的醫生就像快餐店的廚師，等到實在不行了才叫你去找專家。

就算是最勤勞的消費者也不會貨比三家以上，通常只能選擇曾在地方報紙登廣告或列在商業電話簿上的鄰近商店，或靠鄰居和朋友介紹。選擇全國知名的品牌大概錯不了，但如果要找比較複雜、獨特或符合個人品味的東西，你還是得到附近的商店親自驗貨才放心。

直到最近，大部分美國高中畢業生都選擇到社區大學就讀，企圖心比較強的則選擇州立大學。就算有資格拿到常春藤名校獎學金的學生也不會離家太遠，因爲他們和父母不知道如何比較各校的優缺點。選擇醫院也是基於同樣的道理：即使你要做心導管手術，你也只能選擇附近或地方上的醫院。選擇律師、貸款公司或車商也是一樣。

新的通訊、運輸和資訊科技已經讓一切改觀。透過網路，消費者能知道各地商品或服務的價格和品質。大學、醫院、律師事務所、銀行和車商都得和全國甚至全世界的同業競爭。所有賣方似乎都被放進全球大賣場裡，一家接著一家，每家的價格和品質都一覽無遺。當加入全球大賣場的賣方越多（設立自己的網站、在網上提供產品和服務、參加網路拍賣、提供資訊給入口網站），沒有加入的賣方就會越來越被孤立和邊緣化。不加入就是滅亡。但就算加入，也要準備打一場硬仗。

你已經可以在網上申請汽車貸款或磋商房屋貸款條件。有好幾個學生（或家長）跟我說，他們是看哪一家大學的學費條件比較好才做出最後決定；這是因爲網路讓討價還價變得很容易。消費者迫使賣方在網路上競相喊價，而網路票據交換所會像夏天的車庫拍賣會一樣普遍。賣方不打折就賣不出東西：飛機就會空著座位、貨車會空車回程、旅館會空著房間、電台會空著廣告時段、大學會收不滿學生。

各種評比和排名也如雨後春筍般出現：保險公司要比費率和賠償金，大學要比學費和畢業生的出路，醫院要比手術成功率和手術費，律師事務所要比勝訴率、每件案子的金額和鐘點費，有相同技術的人要比薪水多寡，數位、分子和基因的新產品要比價格和品質。

總有一天，每個人都會有自己的「電子獵犬」，像金屬探測器般在網路空間中尋找最好的選擇。而隨著越來越多人在市場中出售個人服務，全球大賣場也會讓買主知道我們的背景、技術和經歷。我們也會成爲被搜尋的對象。

令人吃驚的好買賣、作夢都想不到的交易機會、可以用最低價格從全世界買到正合你所需的最高檔的商品等等。我們還沒到達這個階段，也許永遠無法完全到達，但大趨勢相當明顯，而且還在加速中。這是因爲新科技擴大了我們的選擇範圍，讓我們更容易找到更好的交易機會。這使得廠商激烈競爭，逼他們提供更好的選擇。產品因此越來越好，機會越來越多。這是一個良性循環，而受益的是消費者。

如果這就是故事的結局，我們從此過著幸福快樂的日子，這本書就沒什麼好寫了。但人生還有比絕佳交易更重要的東西。我們不只是消費者和投資者，同時也是工作者。此外，我們還有一些重要的關係（家庭、朋友、社群），幫助我們定位自我和人生的需求。新經濟把這些生命的層面都改觀了，但工作和工作以外的生活並不都往好的方向改變。因此，絕佳交易的時代是有陷阱的，這正是這個時代的兩難。

註釋

❶這個觀點源於卓越的政治經濟學家赫希曼（Albert Hirschman）。他認爲「離開」是個人對公司、組織和政府的三種理性回應方式之一。「離開」是指捨棄失敗的公司、組織或政府，尋求更好的環境。另兩種回應方式是「表達」和「愚忠」：個人可以表達自己的關切，用談判、協商和妥協來試圖改進，或者乾脆對公司、組織或政府表示愚忠。在這三種回應方式中，美國人最喜歡第一種。美國本就是由離開惡劣生活處境的人們所組成。而我認爲，在新經濟中，離開不只是對失敗或惡化的組織的回應之道；只要有更好的交易機會出現，人們會立刻脫離原來的商業關係，不管他有多滿意。可參考赫希曼於一九七〇年出版的 *Exit, Voice and Loyalty: Responses to Decline in Firms, Organization, and States*。

2 創新的精神

當新科技讓消費者有更多選擇，更容易取得更好的商品，所有賣方也就跟著不安起來。大多數人都喜歡有安全感，但不安對經濟來說並不是壞事，因爲它會刺激創新，而這正是新經濟的另一個主要特性。瞭解這一點是瞭解我們的生活正在發生什麼變化的第二步。

新盧德主義的謬誤

我們首先要拋開一種迷思。有些趨勢觀察家把不安和失業混爲一談，擔心科技進步最後會讓所有工作消失。這種錯誤就和十九世紀初英國的盧德主義者所犯的一樣。盧德主義者認為動力織布機會讓織工失業，所以到處破壞機器。新科技的確會迫使人們轉換工作，但不會減少工作總數。人類的欲望是無窮的，花錢讓別人來滿足其需求的意願也是無限的。人類有無窮的智慧和想像力，能夠發明出新的事物和更好的辦事方法。

當社會變得越富裕，科技讓人買得起所有商品，人就會把更多錢花在超越食衣住行等基本需求的欲望上。但這些欲望是無法滿足的；不管現在擁有多少，人們都想要更多。所以經濟成長和工作增加完全是預料中之事。

健康。不管身體狀況有多好、壽命有多長，人類永遠都想更健康、更長壽。所以，對健康顧問、藥品、器材、醫療和健身法門等延年益壽之道的需求是永無止境的。

娛樂。不管生活有快樂，人們永遠想要有更多的樂趣、驚奇、爽快和美的感覺。所以，對電影、錄影帶、劇場、音樂、運動、旅行、故事，或冒險活動如滑翔翼、高空彈跳，或帶三歲小孩到主題公園探險等活動的需求，也是永無止境的。

對他人的吸引力。不管已經有多美，人們都想變得更有魅力。所以，流行服飾、化粧品、口氣清香劑、潔牙劑、防曬油、染髮劑、減肥食譜，以及各種如何讓自己更性感、更有魅力、更具說服力或誘惑力的諮詢和建議，這種市場是無窮大的。

知性啓發。雖然學校教育使人倒足胃口，多數人的頭腦還是有被刺激的需求。所以，對新聞、資訊、理論、歷史和事件看法的追求是無止境的。

接觸。除了隱士和厭世者之外，人類基本上是社會性的動物，對於和他人接觸有無止境的需求。所以人類對於更快、更容易、更便宜、更方便的接觸方式和被關愛、被照護與獲得性滿足的需求是無窮的。

家庭幸福。人類天生就是利他的，特別對那些基因相近的人。雖然家庭爭端不會消失，但人們永遠希望孩子和親人擁有幸福與健康。所以就產生了許多照顧、教育和增進家人幸福的商品和服務。

財務安全。錢雖然不能帶來幸福，卻是一種滿足上述欲望的必要手段。所以理財、投資和保險顧問也有無窮大的市場。

滿足這些需求的方式和滿足飢餓、睡眠等需求的方式不同。也許除了吸引力之外，要滿足這些需求不必然要和別人相比較。而且，由於滿足這些需求主要是靠創意，不是稀有資源，所以一個人的享用不必然排除其他人的享用。

這七個領域正代表七個成長最快的市場。在未來幾十年中，大部分人都會在這些領域創造和行銷產品、服務和諮詢建議。電腦軟體、工程設計、網頁、金融服務、統計分析、樂譜、電影劇本和廣告等職業都屬於這些領域。高科技使創意人能把這些工作做得更好更快，讓他們有更大的想像空間。

其他人則從事個人看護類的工作來滿足上述需求。這些工作包括娛樂專家、有氧運動教練、個人訓練師、按摩師、導遊、精神導師、生涯規劃教練、教師、司機、服務生等等。此外，還有嬰幼兒及老弱殘疾的看護工作。到了二十一世紀的第二個十年，會有幾百萬嬰兒潮世代的人需要個人看護，他們可不會一聲不響地離開人世。健康俱樂部將大行其道；上午做水肺，下午則做緊急輸氧。

新舊工作型態最大的不同，在於人們有越來越大的壓力要把新工作做得更好、更快、更便宜。至於能多好、多快、多便宜，則沒有必然的界限。過去認爲不可能被打破的科學障礙現在都被打破了。

更好、更快、更便宜的必要性

二十世紀的經濟體系讓廠商的日子過得很輕鬆。規模經濟和穩定的市場（以及相應的寡占和管制）保障大企業免於激烈競爭。小型的地方性廠商只需要和地方上的其他廠商競爭。

企業就像人一樣，日子過得太舒服就不會想努力。總體來說，舊工業經濟並不鼓勵企業家精神。大公司的研發部門會搞一些創新，但重大突破非常罕見。這是刻意造成的，因為變化太大不但會危及事先規劃的能力，也會動搖企業體系。所以大多數的創新都發生在枝微末節，變的只是包裝而非基本結構：汽車尾翼加長了，但懸吊系統和引擎的品質沒有多大改進；「全新功能」的洗碗精和廚房用品經常上市，但其實沒有多新，也沒有增加多少效能。

到了二十世紀中期，廠商不再需要費心控制成本。由於整個產業的工資都是由工會協商出來的，工資的提高能以較高的價格轉嫁到消費者身上，不會損傷任何一家公司。經銷商也不會過分壓迫供應商，因為供應來源的任何變動都會危及大規模生產所賴以維繫的長期契約和穩定關係。

員工和廠商的相互配合使得工資和價格不斷攀升。價格上漲提高了生活支出，員工就會要求加薪。政府有時候會用法定工資、價格上限或對產業和工會領袖施壓等方法來直接控制工資，但效果都不大。通膨壓力最後會逼使聯準會提高利率來為經濟降溫。

新經濟的情況正好相反。前面說過，消費者已經不再受生產規模、距離和資訊的限制。消費者對全球各地的產品和服務的選擇性越來越大，價格和品質的資訊也越來越多。當消費者越容易在別家買到更好的東西，廠商就得越努力吸引和留住消費者。

有些學者把創新和生產力的大幅提高完全歸因於新科技，但這無法解釋為什麼廠商會有創新的壓力。新的通訊、運輸和資訊科技強化了消費者尋求和轉向更好選擇的能力，這就迫使廠商去生產更好的東西。爲了生存和發展，廠商必須不斷降低成本和增加價值，而且得比對手更快。廠商不但要提供更好的產品和服務，還要不斷改善自身的組織結構，才能比對手更快提供更好的產品和服務。

這個趨勢可以解釋爲何在低失業率時沒有通貨膨脹的壓力，因爲廠商必須不斷設法降低成本和價格以維持競爭力。這也可以解釋爲什麼生產力（單位勞動投入的產出）在一九七〇年代的經濟蕭條之後持續提高，因爲廠商都被迫以更少投入創造更多產出。❶

激烈的競爭也擴及非營利組織。就算是最守舊的大學、醫院、博物館和慈善機構現在都得創新，因爲它們和其他產業面臨同樣的壓力。義工、支持者、贊助人的選擇越來越多，對每個機構的表現也越來越清楚，越來越容易轉到最令他們滿意的組織。所以非營利組織也得做得更好、更快、更便宜。

創新的邏輯

我們可以用熊彼得（Joseph Alois Schumpeter）的觀點來理解這股動力。熊彼得曾擔任葛拉茲、波昂和哈佛大學的經濟學教授，一次大戰以後還出任過奧地利的財政部長。不管在哪裡，熊彼得都是戲劇性的人物——他是貴族和浪漫派的結合體，謙虛而不做作。（他在晚年說自己有三大願望：做最佳的情人、最佳的騎士和最佳的經濟學家，其中兩個願望已被世人公認。）在一九一二年出版的《經濟發展理論》一書中，熊彼得構思出一個由企業家主導的世界。

當時，多數經濟學家都專注在供給和需求如何達成均衡、稀有資源如何達成最有效分配的問題。供需不均被認爲是完全競爭的經濟模型的例外，是由外部因素如洪水、瘟疫或政治所造成的。但熊彼得認爲健康的經濟體從來不處於均衡狀態，而是不斷被創新和變革所破壞。他認爲，只有當企業家的大膽嘗試能讓他對某種商品獲得暫時性的壟斷地位時，創新才會發生。除非企業家感到新競爭的威脅，他們不會有繼續創新的動機。所以，如果沒有企業家帶動「創造性的破壞」，經濟體就不會往前發展。

隨著二十世紀的經濟被大規模生產所主導，熊彼得也對企業家精神感到悲觀。他看到的企業都重視穩定甚於變革。熊彼得一點都不認爲大規模生產和大規模行銷有什麼好處，他只看到大企業中懶散的管理階層和逃避風險的打混大王。他悲觀地預言資本主義將會淪爲一灘死水的官僚社會主義。

但在二十一世紀初，熊彼得的悲觀預言已被證明是錯誤的。我們正快速走向一個新熊彼得的世界。

讓我們做個頭腦體操。假設你要以價格Y出售產品X，你也已經知道怎麼把X做得比任何人都更好、更快、更便宜。其他人都不曉得X有市場，而你是第一個想到可以賣X的人。消費者如潮水般湧來，因爲你提供他們好的交易機會。你開始賺大錢，而態彼得會爲你驕傲。

不過，現在不只是其他消費者聽說了你提供的交易機會，其他賣方也知道了。你的競爭對手可能不曉得你到底賺多少錢，但可以從X的生產成本推測出來，這些資訊隨手可得。競爭對手很快就能提供消費者同樣的商品，瓜分掉你的利潤。對手會一個接一個進入市場，直到你無利可圖爲止。

你可以用專利或著作權來保護新發明的X。保護「智慧財產」和保護實物財產的道理是一樣的。但在新經濟中，保護智慧財產的效果很有限。只要你一生產X且得到消費者的正面回應，對手馬上就知道X有市場，光是這個資訊就比任何資訊都值錢。對手馬上會想出如何生產更便宜的X，而不侵害你的智慧財產權（他也許會把你的X拆開，重新設計，想辦法規避你的專利。如果你的X是一種軟體、配方或藝術作品，他也可以用別的方式來規避你的著作權）。他也許根本不理你的法律權利，等你去法院告他，因爲他比你有錢，經得起長期訴訟。就算你也付得起，也不保證你一定能贏，因爲偷人家的點子不像偷人家的車子那麼明確。所以「誰在什麼時候發明了什麼」的訴訟案在法院裡越來越多。

（Calvin Klein控告Ralph Lauren的「羅曼史」香水剽竊自其銷量最好的「永恆」古龍水。但香味到底是什麼？它是可以被擁有的嗎？香味還包含了情緒、形象和風格，要如何把它分離出來當作一種財產呢？）

你的利潤縮小了。現在你有三種選擇：（1）你可以想辦法降低成本，用低於Y的價格出售X。（2）你可以想辦法用同樣的成本來生產更好的X。（3）你可以用盡各種方法製造一種比X更受歡迎的Z。這些策略都能讓你恢復領先地位，但只是暫時的。你三種方法都應該試試看，因爲你不知道哪一種最有效。但要記住，這些方法都要花成本，也都有風險。

第一種策略（降低成本）風險最小，但你必須先付出短期成本，想出更有效率的生產方式。比方說，你可以聘請管理顧問，他會建議你使用新軟體，這樣可以減少製程和員工數。你還可以把能外包的工作都外包出去，削減員工的工資，改用分紅或配股的方式。

第二種策略（改良產品）得花錢做研發和行銷。這是比較冒險的策略，因爲你不知道消費者會不會認同你的改良。就連可口可樂搞產品改良都會碰壁。但至少你知道消費者已經喜歡X，你有信心他們會喜歡更快、更強、更輕、更美味或更漂亮的X。

第三種策略（生產新產品）是最花錢和最冒險的。它需要做更多的基礎研究，到頭來可能是一場空。由於Z和X截然不同，你根本不知道有沒有市場。但如果你的豪賭眞能賺到錢，Z的回報將是最高的。你可以獨占Z的市場，直到對手製造出相同的產品。

你當然希望至少有一種策略成功，能彌補其他策略的花費，保持長久的優勢。但壞消息是（現在才說是因爲不想讓你太沮喪）：你永遠無法停下腳步。就算你成功了，那也只是暫時的，因爲你的對手一定會很快跟進。在舊工業時代，由於生產者都被大規模生產所綁住，競爭沒有這麼激烈。但現在的對手實在太靈活了，根本沒有喘息的餘地。你也許能暫時獲利，但爲了生存，你還是得把大部分的利潤用在這三種策略上。

如果你很會玩這種遊戲，能夠不斷降低成本、增加價值和創新，你就能吸引到合夥人和投資人。你甚至可以發行足以讓你致富的股票，但最好不要靠這種方式。比較好的做法是讓合夥人和投資人拿出足夠的錢，讓你投入各式各樣的創新。投入的項目越多，越有可能獲利並彌補其他項目的損失，還可以在對手跟進時保持領先。

但就算資本增加了，這場競爭遊戲還是沒有結束。熊彼得喜歡的就是這一點。每個生產者都慌忙地向前奔跑，四處投入資金，隨時注意背後的敵人。英特爾董事長葛洛夫（Andrew Grove）曾說，只有偏執狂才能在新經濟存活。其實他還應該加上妄想症和強迫症患者才對。也許你已心力交瘁，但正由於你不斷地努力，新經濟才能充滿創新和發明，消費者才能過得這麼好。

品牌的新角色

即使你以最低價格Y提供最好的商品X，還是可能無利可圖，因爲市場上有太多「噪音」——太多競爭者要搶位子、太多產品和服務要搶空間、太多訊息和廣告等著被人注意——消費者根本不知道你的存在。你只是大賣場中的一個小攤位，還有幾百萬個賣方爲了吸引消費者而各顯神通。幾百萬個網頁、一百五十個衛星電視頻道，還有即時訊息、電子郵件、傳眞、手機、錄影帶、個人郵件服務，再加上呈幾何級數倍增的寬頻網路，你要如何在一片喧鬧聲中獲得注意？或者，用網路語言來說，你要如何吸引流量和點閱率？

你的潛在客戶也有同樣的問題，但問題正好相反。消費者被各式各樣的資訊淹沒了。新經濟雖然增加了消費者的購買力，但還是得找到想要的東西才行。選擇性越大就越令人困惑，這就需要有人指引消費者到哪裡去找東西。

口碑對賣方和消費者都很有用。如果客戶覺得滿意，他們會把消息告訴親戚朋友而帶來另一筆生意。網路上的蜚短流長有時會強大到能在瞬間創造出對某部電影或CD的需求。但是流言並不那麼可靠。而且，只要流言一傳開，你的對手也會得到消息。凡是消費者能得到的訊息，對手也會立刻得到。

大規模行銷是無效的，因爲你的產品不太可能有大規模市場。你可以嘗試直銷，或針對電腦建檔的客戶群做電子行銷。但這些尋找客戶的方法都所費不貲。你會碰到一大堆根本沒有興趣的客戶，眞正有興趣的反而碰不到。

尋找客戶（或讓客戶找到你）的最佳方法是和有信譽的大品牌掛勾。品牌是新經濟叢林中的消費指南，其利潤來自於每筆交易的佣金。

乍看之下，很多知名品牌（包括入口網站）「好像」都有很龐大的組織做後盾，因爲名氣實在太大。但在新經濟中，企業不需要太多的有形資產和員工。在舊工業經濟時代，大企業是依靠「規模經濟」而成長。而在新經濟時代，企業靠的是「信任經濟」，其經濟價值不在於資產和員工數，而在於消費者對它們的信心。所以，新型態的「大企業」唯一需要控制和增加的資產就是能讓消費者買到最好東西的名氣。依賴和滿意的消費者越多，企業的名氣就越大，會進一步吸引更多消費者。

因此，只有信譽最好的企業才會是最大的企業；最好的信譽可以轉化爲最大的利潤和市場價值。在本書撰寫期間，（依賴規模經濟的）通用汽車的員工平均市值（以公司市值除以員工數）爲十萬美元，而正在轉型爲入口品牌的微軟，其員工平均市值爲一千兩百萬美元，純粹入口品牌的雅虎的員工平均市值則超過兩千兩百萬美元。雖然有許多網路公司的市值比當初投資人一窩蜂搶進時低了許多，但幾家領導企業的員工平均市值可能仍在繼續上漲。

迪士尼是家庭娛樂的品牌保證。舉凡家庭旅遊、電影、錄影帶、書籍、音樂、體育和家庭活動，迪士尼都能提供指引。迪士尼直接雇用的員工及有形資產只是整個企業的一小部分，而且比率還會再降低。迪士尼大多數的產品和服務是獨立生產的，迪士尼只要做篩選，維持並強化高品質家庭娛樂的信譽，再對每一筆交易抽取一點佣金（或授權費）。只要管理得當，「信任經濟」對迪士尼品牌的重要性將大於「規模經濟」。

戴爾電腦已經變成個人電腦的入口品牌，可以輕易把事業擴展到其他辦公設備和電傳設備。戴爾不直接製造任何一台電腦，而是用網路把越來越大的客戶群和上下游供應商連結起來。戴爾只要吸引消費者（點閱率）和控制品質，然後對每一筆交易抽取佣金。

現在大多數電影都是由獨立電影公司製作，好萊塢大製片廠只是和它們簽約，幫忙做行銷和流通而已。在本書撰寫期間，CBS/Viacom製片廠擁有Nickelodeon兒童電視頻道，廣受喜愛的歡樂卡通片「淘氣小兵兵」（Rugrats）就是該頻道的節目。但實際製作者是一群和Nickelodeon簽約的獨立動畫家。「淘氣小兵兵」的系列電影、書籍、網站和其他難以計數的產品也是用這種模式生產的。獨立工作者創造出幾乎所有的娛樂產品，洛杉磯約有七千家娛樂公司，員工數不到十人的超過九○％。

要不了多久，唱片公司將不再從事製作和行銷。如果從網路下載音樂就像開自來水那麼容易，還搞這些幹嘛？要生存下去，華納、EMI和新力這些大品牌就得把重心放在發掘偉大的音樂家，把他們推薦給消費者，建立起好的音樂指南。

所有的大品牌都在轉型成入口網站，用網路把消費者和廠商連結起來。雅虎是網頁內容的入口，嘉信理財（Charles Schwab）是金融服務的入口，亞馬遜是書籍和音樂的入口（未來會變成任何可以包裝和郵寄的知識娛樂產品的入口）。其他原來搞製造的「大企業」則轉去搞媒介。IBM的業務量遠超過其製造量，有很多業務是屬於諮詢和技術支援，其中大部分是在網上提供。思科系統的外包廠商直接接受顧客訂單，出貨前根本沒讓思科系統的員工過目。

哈佛大學也成爲世界性頂尖的教育入口品牌。它是世界上第二知名的品牌，僅次於可口可樂，第三名則是麥當勞。哈佛大學授權給許多研究中心、機構、委託案、襯衫、帽子、枕頭套、填充玩具、健康計畫、醫院、雜誌、期刊和出版社。哈佛只雇用一小部分人來搞這些東西，大部分是抽版稅和佣金。

哈佛大學在幾年前幫我出過一本書，我到現在還會偶爾收到一些版稅。我常常在《哈佛商業評論》寫文章，也會拿到一點稿費。從這個角度來說，我還在利用哈佛的品牌出售我的服務。哈佛拿走了我大部分的勞動成果，剩下的才留給我。這些錢當然不多，但奇怪的是這些文章是我在哈佛任教時寫的，卻到現在都還可以賺錢。

當非營利機構成爲許多營利機構的入口品牌時，非營利和營利的界線就被打破了，雖然國稅局還沒開始抓。在非營利的博物館內設置營利性的店面和餐廳、幫營利性的網路禮品店做促銷、出租展示廳和畫廊以供商業用途、把招牌授權給一大堆賣錢的商品，這些通通都算。哈佛大學已經變成Harvard.com，一個利用網路來提供各種教育服務的入口品牌，將全世界的教育提供者（有些是非營利性的）媒介給那些慕哈佛之名而來的人。有些非營利品牌則脫下非營利的外衣。紐約證券交易所創立時是非營利機構，現在已經變成營利性事業。它別無選擇，因爲電子交易市場已帶走部分客戶。它維持競爭力的唯一方法是把品牌變成營利性的入口，也成爲一個網路市集。

別砸了招牌

在舊經濟時代，品牌代表一種特定的產品或服務；大家都知道「迪士尼」是一家電影公司。品牌的作用是引導消費者去購買可以明確識別的特定商品。雖然有些知名品牌也會生產別的東西，消費者還是會用特定品牌來辨識特定的產品和服務。但在吵嚷喧囂的新經濟時代，消費者常常不知道自己要什麼，得透過入口品牌來尋找。現在的大品牌只是一種指南，不再代表一種特定的產品。迪士尼不再是一種卡通，而是優質家庭娛樂的指南，由許多賣方提供產品。

唯有堅持爲買方而不是爲賣方服務，入口品牌的信譽才能維持。如果入口品牌讓消費者遇到一筆爛交易，或雖然好但沒有別家好，消費者就會對整個品牌失去信心，當然也對品牌背後的眾多賣方失去信心。所有賣方都想和信譽最高的入口品牌連結，入口品牌的價值也在於只把消費者媒介給最好的賣方。一旦失去提供最好交易的能力，品牌的價值就喪失殆盡了。

當然，入口品牌也可以促銷特定的產品或服務。但要維持消費者的信賴，入口品牌就得分清楚促銷和建議的差別。如果亞馬遜網路書店因爲收了出版商的大筆佣金而告訴顧客某些書「絕對會成爲名著」或「我們都在讀這本書」，消費者便有理由懷疑亞馬遜推薦的其他書。如果AltaVista搜尋引擎因爲收了佣金而把某些網站放在搜尋結果的最前面，消費者就會對搜尋品質失去信心。如果顧問公司因爲收了佣金而把某種軟體推薦給客戶，客戶就會懷疑有利益衝突，擔心這套軟體並不眞正符合需求。如果「庫柏醫生網」（drkoop.com，號稱「你最信賴的健康網站」）因爲收了佣金才推薦某些醫院或健康中心，造訪這個網站的人就會懷疑是否得到最好的健康諮詢。如果消費者懷疑有什麼暗盤，就連哈佛這種品牌也會失去光采。負責保護哈佛品牌價值的律師們知道，所謂「哈佛啤酒」和「哈佛減肥中心」只會傷害哈佛的形象。

品牌也可能因爲跨足太廣而失去信用，因爲消費者不知道要相信什麼。迪士尼在家庭娛樂上是權威，但在啤酒和飲料就不行了。亞馬遜書店可以把信譽擴展到音樂和錄影帶，但不可能擴展到維他命和牙刷。沒有人會請微軟來做家庭理財（雖然可以信任微軟的理財軟體）。

大品牌和小企業

以上所描述的經濟動態——積極的小賣方和有信譽的大品牌相結合，大品牌則從製造業轉化爲消費者一次購足的媒介——可以解釋新經濟一個看似矛盾的現象，那就是「利基型」企業與併購、整合同時出現的風潮。

事實上，這兩種趨勢是互爲表裡的。積極的小賣方不斷想辦法用低於Y的價格製造更好的X，並發明新的Z，它們是熊彼得創新過程的核心。同時，大品牌爲消費者在產品和服務的叢林中提供一目了然的指引。爲了生存和發展，大品牌也得發明更好的指引方式。

近幾年的併購風潮和一八八五至一九一〇年的併購風潮有本質上的不同。當年那股風潮在美國產生了通用汽車、奇異、AT&T、美國鋼鐵等大托拉斯，其他國家如德國也出現像西門子這種大財團。當時的目標是維持市場穩定並獲得規模經濟，現在的目標則是要創造全球性的品牌。今天的媒體、電子通訊和金融巨人是否成功，端視其能否提供更方便、更好識別和更值得信賴的品牌，讓消費者獲得一次購足的便利和良好品質，也讓賣方更瞭解買方的需求。如果企業併購的主要目的是獲得規模經濟，成功的機率就會比較低，甚至會產生災難性的後果。速度和靈活性比生產更重要，因此巨大的官僚組織已拚不過積極的小企業。

這是一種共生互利的關係。小企業專精生產，少數大品牌（不一定有很多有形資產和員工）則扮演消費者可信賴的顧問。當然，某些小企業也可能因爲某種產品太出名而倒轉了這種關係。例如ＥＳＰＮ體育台以前要付費給頻道商託播，現在則是頻道商要付費才能播出，ＥＳＰＮ最後也變成入口品牌。但大多數時候兩種企業是互補的：小企業負責提供內容，大品牌負責吸引顧客。這種聯盟關係是新經濟的基礎。

依附的渴求

就算吸引到消費者，身爲賣方的你，挑戰也尙未結束。你還得留住顧客。他們可以立刻拋棄你——只要輕按一下滑鼠，你就成爲歷史。你依賴他們的程度遠勝於他們依賴你，因爲你尋找新顧客的成本遠高於他們尋找新賣方的成本。就這一點來說，任何企業策略都比不上漢摩斯坦（Oscar Hammerstein）的歌詞說得更精準：「一旦你找到她，就別放過她。」你得想辦法讓他們依附於你。

你有幾種方法可以加強「依附性」。最簡單的方法是降低成本和增加價值，讓消費者沒有轉檯的理由。你要密切注意競爭對手；一旦他們發現降低成本和改進品質的新方法，或者發明了新產品，你就得立刻跟進。伺候客戶是最要緊的事，你得讓他們高興，讓他們對你的無微不至感到驚訝。只要他們還忠於你，你就要提供特別優惠：會員價、優惠機票、免費優先運送、買一送一大打折。網路也讓廠商有更多回報顧客的方式：可以和航空公司、租車公司、旅館和電影院分享客戶資料，藉此提供消費者各種產品折扣。哈佛榮譽校友（也就是捐款大戶）可以享受返回母校、參加研討會的特殊待遇；大都會博物館的榮譽會員（也就是長期贊助者）可以優先參觀新展覽；旅館的VIP客戶可以享受直接進住的特殊待遇，不必在櫃檯排隊登記。

你要鼓勵客戶盡量提供詳實的個人資料，這樣才能針對其需要來量身訂做。客戶給你的資料和你給客戶的服務越多，你們的關係就越密切，對手要介入就越難。現在，我的服裝店（我用「我的」這個詞，就表示我對它有所依附）知道我的頭部、頸部、胸部、腰部和腳的尺寸，我最喜歡的布料、顏色和款式，我以前在哪裡買過衣服，我的職業，我最喜歡的休閒活動。每做一次交易，電腦軟體就更瞭解我，更能滿足我的需要，甚至能預測我的需要。我不是因爲忠實和感動才被這家店吸引，而是因爲它越來越符合我的品味。

英國航空公司會根據客戶過去搭機時的選擇，爲常客奉上他最喜歡的酒和報紙。有一家網路花店會蒐集客戶的生日和週年紀念日的資料，在時間快到時以電子郵件提醒，甚至還可以記住客戶上次買過的東西，讓他們點一下滑鼠就完成新的交易。還有一家連鎖旅館會留下客戶上次打過高爾夫球的資料，當客戶下次再訂旅館時，就會自動詢問要不要預訂打球的時間。

「智慧型代理人」軟體可以讓關係更鞏固。亞馬遜書店會分析客戶上一次的訂單，推薦他可能會喜歡的書和音樂。如果資料再多一點，代理人軟體還可以推測出客戶對各種產品的喜好。例如，如果客戶喜歡某些類型的音樂、食物和書，代理人就可以推測出他喜歡的電影類型——只要把他的偏好和具有類似偏好的其他客戶做比較。客戶並不像他們自以爲的那麼獨特，在網路世界的某個角落，一定有和他類似的人存在。代理人軟體蒐集的資料越多，就越能找到具有同樣偏好的人。

大品牌非常適合整合這些資料。客戶資料庫是它們的重要資產，能藉此把客戶介紹給最能滿足其需求的公司。重視隱私權的客戶也會受到尊重，至少是部分尊重。尊重隱私權的入口品牌會吸引到希望特定資料只能有特定用途的客戶，因而享有對其他品牌的競爭優勢。❷

當然，依附性對賣方來說是好事，對買方就不一定了。雖然消費者能因此得到更個人化的服務，但這也意味著他們將難以轉檯至你的競爭對手。不用說，你想要的就是這一點。但如果對手也有同樣多的資訊，他就可能提供更好的交易。到最後，消費者很可能會意識到個人資料所擁有的商業價值，把自己的資料儲存在資料銀行供賣方下載來得到最好的交易。這是新經濟賦予消費者的力量，他們沒有理由放棄，而賣方間的競爭也會確保消費者一定會這麼做。

終極的依附性

如果其他方式都無效，還有最後一種吸引消費者效忠的辦法：建立一種相互連結的通用系統，讓買賣雙方都不得不使用。這種終極的依附系統就像語言一樣，如果有很多人使用一種語言，其他人就得用這種語言。英語是世界上第一個通用語言，因爲有太多人使用，想要加入全球市場就得用英語。和語言不同的是，這種終極的依附系統是被私人公司所擁有，可以收取使用費和廣告費。

美國線上（AOL）剛開始只想建立一個封閉的系統，網站內容（新聞、娛樂等）只提供給付費使用者。但AOL用戶對聊天室和「即時訊息」（讓郵件使用者知道有朋友在線上並互相聊天）更感興趣。於是ＡＯＬ改變策略，將封閉系統連上網路，只要繳交固定月費就可以無限使用。這個系統很快成為線上通訊的標準。使用者越多，它的地位就越鞏固。由於消費者很難一下子全部跳槽到別的電子通訊系統（就算別的系統比較先進），依附性就這麼產生了。

市場也是如此。只要有足夠的買方和賣方聚集在一個特定的地方，其他買方和賣方為了獲得交易機會，就得過來參與。因為有這種效應，港灣、河口和山道才會出現市集，創造出特定物品的交易區，如股票和債券之於華爾街、鑽石之於阿姆斯特丹、豬肉之於芝加哥。這種古老的效應在網路空間上一樣有效。一旦有足夠的買方和賣方聚集在電子海灣（eBay）的電子拍賣市場，其他人就會跟進，因為這是最好的交易地點。還有成千上萬的網站爭相成為股票、汽車、房屋和性服務的交易中心。

但這種終極的依附性也有極限。對手會用更好、更便宜的通訊方式來「離間」你的客戶，甚至提供免費連線。一九九九年夏天，雅虎和微軟開始提供可以連上ＡＯＬ「即時訊息」系統的軟體，讓雅虎和微軟的用戶無須付費就可以進入ＡＯＬ，大大降低了ＡＯＬ的依附性。ＡＯＬ認為雅虎和微軟侵犯其財產權，表示要提出告訴。但ＡＯＬ最後還是屈服了，因為雅虎和微軟的財力雄厚，和他們打官司太不划算，而且ＡＯＬ的用戶也想連上雅虎和微軟的系統。

就算對手不拉走你的客戶，政府也可能會這麼做。因爲依附性太高會阻礙創新，所以美國和多數資本主義國家的法律都規定，一旦某種品牌的普及性高到成爲日常語言的一部分時，專利便會被取消。如果這個品牌繼續被獨占，其他人就無法競爭，因爲他們連描述這種產品的詞彙都沒有。「阿斯匹靈」原來是一種廠牌，等到消費者用這個詞泛指止痛劑時，這個詞就變成公共財，任何競爭者都可以出售自己的阿斯匹靈。

美國的反托拉斯法原來只注重生產規模和市場壟斷力，現在開始注重過度的依附性。因爲經濟結構的變遷實在太快，擁有一個相互連結的系統要比生產規模和市場壟斷更危險。在本書撰寫時，每一台電腦都要裝微軟的視窗作業系統；微軟把其他軟體（如瀏覽器和電子郵件軟體）和視窗組合在一起出售。美國司法部在一九九八年控告微軟壟斷，微軟反擊。當然了，微軟會說單一的作業系統要比許多互不相容的作業系統對消費者更方便，而且贈送瀏覽器、電子郵件和其他軟體又有什麼不對？微軟說，獲利的是消費者。

問題是，微軟的視窗系統實在太普及了，不管是電腦、瀏覽器和其他軟體的廠商都得付費給微軟。這不但使微軟能有效封鎖使用不同作業系統的新軟體，還能阻礙對手創新（這是最重要的一點）。這就是聯邦法官的判決理由。

要瞭解箇中原因，可以假想一百年前有個 Electrosoft 公司發明了插頭和插座。假設這種插頭有四個腳，而且還是直排的。這也許不是最高明的設計，但由於 Electrosoft 是市場上最早和最大的公司，這種四腳直排插頭就成爲業界的標準。很快地，每一家的牆上都安裝這種插座，所有家電製造廠商也必須用這種插頭。

有一致的標準對大家都有利。如果插頭和插座分成好幾種（有兩腳的、有五腳的，有橫排也有對角排的），市場會一團混亂。每個家庭都得有各種插座，廠商每一種都得製造，經銷商也得每一種貨都進。插座和插頭不相容會降低消費者購買烤麵包機和電燈的意願。Electrosoft的四腳直排插頭避免了這種混亂，促進了家電市場的發展，也讓家電銷售量直線上升。

由於Electrosoft擁有專利，電器製造商每製造一個插頭都得付費。Electrosoft成爲美國最賺錢的公司，總裁的身價是半數美國家庭的總和。但我們也別太嫉妒，因爲Electrosoft發明的東西確實讓大家都方便，它只是從中得到回報。熊彼得也贊成這種看法。

假設現在Electrosoft開始賣自己的電器。它不但用雄厚的資本把價格壓得非常低，甚至每買一個Electrosoft的插頭和插座就附送烤麵包機和電燈。結果就淘汰了其他烤麵包機和電燈製造商，發明家也失去了創新的意願。他們覺得根本一毛錢都賺不到（除非他們把發明賣給Electrosoft，但只能拿到實際價值的一小部分），何必多此一舉。

幾年以後，Electrosoft已經沒有競爭對手，開始將烤麵包機和電燈漲價。既然消費者不得不買，它也不必創新。這個故事的教訓是：一開始讓大家方便的標準，最後會變成創新的障礙。

這是一個兩害相權取其輕的問題：標準化的視窗作業系統是消費者的福音，微軟免費附贈的瀏覽器和電子郵件軟體也是，但如果消除了競爭，長期而言就不是好事。如果微軟的策略使其他廠商不想發明更好、更便宜的軟體（如語音辨識工具、影像郵件、立體網路等），消費者會有更大的損失。

這不是什麼新現象。每當科技迅速發展的時候，都需要某種能讓大部分新發明相容的東西。燈泡在一八八〇年初剛發明時，有一百七十五種不同的燈泡和插座。水龍頭、螺絲和其他工業零件上的螺紋也一樣千奇百怪。巴爾的摩發生大火時，當時的市長才赫然發現幾乎沒有一個消防栓和水龍頭是吻合的。

我們需要一個共同標準，但不能讓某家公司壟斷，而要由整個產業來決定，並提供所有廠商免費使用。燈泡和插座的標準在一八八四年出現後，兩腳插頭和插座就沿用至今。工業螺紋的標準則在二十世紀初發展出來（比巴爾的摩大火晚了一點）。爲了促進各種工業標準的發展，達到免費使用的目的，胡佛（Herbert Hoover）在一九二〇年代初成立國家標準局，這是他最偉大的成就之一（他在數年後當上總統，卻倒楣地碰到華爾街股市崩盤，這個成就因此被世人遺忘）。而美國得到了兩個好處：一致的標準加上創新和競爭，促成了現在充斥每個家庭和企業的許多新發明。

一旦依附性發展過度而阻礙了科技創新，就需要動用法律來節制。就算沒有反托拉斯法，微軟在其他程式語言（如 **Java**）或作業系統（如 **Linux**）的競爭之下也會逐漸失去壟斷，但在這個現象還沒出現以前，可以先把視窗系統和其他軟體分割成兩個公司，或乾脆讓大家免費使用。因爲視窗就像阿斯匹靈一樣，已經成爲日常語言的一部分。

不創新就等死

簡述一下本章的重點。新經濟的第一原則是，選擇性越來越大，消費者很容易擁抱其他更好的交易。第二原則是，選擇的多樣性和轉向的便利性讓所有賣方都感到更不安全，也更受競爭者威脅，從而刺激了創新。

美國經濟已經從穩定的大規模生產體系轉型爲快速而不斷創新的體系。大品牌把消費者引介給能提供最好交易的賣方。競爭對手則竭盡所能地吸引消費者，提供更好的交易。政府開始注意過度的依附性——被私人壟斷的標準或通訊協定因過於普及而阻礙創新。

勝利者是那些能利用有信譽的品牌，以最快速度提供最低價格和最好產品的賣方。但勝利只是暫時的，比賽永遠不會結束。領先者因爲害怕落後，不敢停止創新。這個結果正是熊彼得夢想的境界：不斷的創新帶來更好的產品和服務；生產力提高，通貨膨脹相對溫和；消費者享受更低的價格和更好的品質。

但我們也不要過度誇大這個趨勢。許多產業仍然由大規模生產所主導，生產規模的效率也許永遠不會消失。在科技給消費者最多選擇和最容易轉向的產業，例如娛樂業、金融業、新媒體、軟體業和網路通訊業，創新的速度最快，而這些產業也是成長最快的產業。但其他產業也在轉型。網路將改變大多數零售業者的經營型態。舊式的重工業像汽車、化學和鋼鐵業也開始從大規模生產轉爲注重客戶的特殊需求，開始用網路B2B賣場來尋找最好的供應商。建築業、醫療業、出版業和教育業（包括高等教育）則遠遠落後這股創新的潮流。

請注意，我說的是長期趨勢，不要把它和景氣擴張及股市上漲混爲一談。在本書撰寫期間，美國經濟正處於有史以來最長的擴張期，股市也處於高檔。等你讀到這本書時，擴張可能已經停止，股市也可能一塌糊塗，但本書所說的基本趨勢還是會持續。這個趨勢靠的是科技創新，而不是總體供需狀況或投資人的瘋狂。

只要科技是必然的發展方向，創新精神就會擴及美國經濟的所有層面，也會擴展到世界上其他經濟體。這對尋求更好交易的人來說絕對是個福音，但對生活其他層面來說則未必。而且，雖然科技主導一切，但我們還是可以掌控命運。

註釋

❶美國的生產力在一九七〇年代每年只增長一%，一九八〇年代提高了一些，一九九〇到一九九五年則是每年提高一・五%，一九九六年到二〇〇〇年每年成長三%。這些官方數字有可能低估最近的成果。生產力增長在產品基本性質不變的產業比較容易計算，只要計算每單位勞動比上年度多生產多少產品。但現在每年都有許多更好、更快、更便宜的新產品出現，簡單的計算已無法顯示消費者到底多得到哪些價值。另一方面，近幾年的生產力增長也有可能被高估，因爲大多數美國人的工作時間都比以前更長，尤其是管理、專業和以創意爲主的工作者，他們把在家裡和旅行的時間都投入工作。由於在計算時沒有考慮這些多投入的時間，生產力就可能被高估。

❷我不是說法律不需要保護隱私權，而是競爭力比任何東西更能促進企業去保護穩私權。當然，如果要讓市場自行運作，消費者必須知道自己的個人資料如何被運用。但消費者通常不知道。

3 電腦高手和心理醫生

一個在紐約小公司上班的學生最近給我來信。她正在設計一種可以讓幾千人同時參與的網路遊戲。「我每天要花六個小時構思創意，再花十二個小時推銷這些創意。」她寫道：「太酷了！只要我的配股照現在這種速度攀升，三年後我就可以成爲百萬富翁。祝好！」

三年後，我這個學生可能會很失望。但有一點毫無疑問：像她這種有創意的人，市場對她的需求會越來越高，因爲創新越來越重要。企業擁有能發現最大可能性和最大市場的員工，才能得到最大的利潤。這種企業有最值得信任的品牌，也最具依附性。對該企業貢獻最多的人能賺到最多錢，做最有趣的工作。

創意人的市場需求一直都大於供給。消費者越容易改變選擇，企業競爭就越激烈。許多地方、產品和組織都在創新。只要一有創新，對手也得跟進。換句話說，創意人的供給會刺激出對創意人更大的需求。市場需求越大，薪水就越高，因爲供給跟不上需求的成長。我這位學生和一大群像她這樣二、三十歲的人，都是直接立即的受益者。

很多人都誤以爲現在的創新都得靠尖端的資訊科技，尤其是電腦。我自己也曾助長這種看法，因爲我曾用「符號分析人員」（**symbolic analyst**）這個詞彙來描述最頂尖的員工。這些人幾乎都擁有高學歷，利用系統性的思考方式來發現和解決問題。由於新科技主要跟符號和快速分析有關，而且在個人電腦出現之後，高學歷者的所得正好開始比低學歷者成長得快，我們很容易認爲電腦是直接的成因。這會進一步推出，注重分析技巧以配合新科技的教育方式才適合未來的工作型態。但這些看法都不正確。

事實上，許多在新經濟中取得極高身價的人並不特別精於電腦或資訊科技。這些人的價值與計算能力和解決複雜問題的能力沒什麼關係。他們甚至不能被稱爲「知識工作者」，因爲任何一種知識現在都能以軟體取代。他們眞正的價值在於創意，在於洞悉某種媒介（軟體、金融、法律、娛樂、音樂、醫藥等等）的潛力和市場的潛力，並以最佳方式結合兩者。他們是「創意工作者」。

我那位學生主修藝術，沒有什麼技術專長，但她顯然對人們希望怎樣透過大型網路遊戲連結在一起有很多想法。她的價値在於創意和市場眼光，不是對數位科技的瞭解。

資訊科技很重要，但它的作用是間接的：它有擴大創意的效果。科技擴大了創意的價值，讓創意在公司內部網路中快速傳播，並傳達給消費者。科技也給消費者更多選擇，刺激廠商創新。好的創意是新時代的貨幣，資訊科技則是讓這些貨幣更有效流通的銀行。

有些人天生就比較有創意，這也許是基因的關係。但創意跟家庭環境的關係比較大。父母的養育很重要，我稍後會討論嬰兒時期受到的關心和社區環境會產生哪些長遠的影響。學校教育當然也是關鍵。雖然大多數學校都還是用舊工業時代的教育方式，把小孩當成送進生產線的汽車零件，老師則負責敲打成型；但學校至少能教人讀書寫字，讓人接觸到歷史、推論方法和實驗工具，這些都有助於展現創意。有些人有幸能碰到一個好老師，得以發掘內外在的可能性。高等教育則能提供進一步的發掘工具。在一流大學裡還可以遇到能利用我們的觀念、讓觀念有利可圖的人，這一點我在後面還會詳細討論。此外，我們也不能否認高學歷者的收入確實增加得比低學歷者快。

電腦高手

創意人有兩種，他們的傾向、天賦和感受世界的方式都不同。第一種人包括藝術家、發明家、設計師、工程師、理財高手、電腦高手、科學家、作家和音樂家。他可以從某種媒介看到新的可能性，並樂於探索和發展。媒介可以是高度技術性的，像電腦軟體或金融，也可以是變動不居的，如精緻藝術。這種人喜歡把媒介的可能性伸展到極致，發現並解決其中的新難題。我把這種人稱爲「電腦高手」，但他也身兼夢想家和預言家，有時還是革命家。他的眼光不限於科技，眞正的電腦高手可以用任何媒介展現創意。

當一個電腦高手說某種軟體「太酷了」，他是在審美。「酷」是指有原創性、有美感，打破了傳統界線，以令人意想不到的方式解決問題。一種很酷的軟體也許特別簡單，也許從來沒人想過可以用這種方式運作，也許只有軟體設計行家才能領會其中的奧妙。它反映出設計者的眼光和敏銳。這種鑑賞的樂趣與市場價值無關，而完全在於其藝術性，在於其巧妙、精緻和完美。這種樂趣就和藝術家（或藝術評論家）看到有原創性的畫作、音樂家聽到新曲目或演奏方式所感受到的一樣。這是內行人才會有的評價。「酷」這個字源於爵士樂手，他們打破了原本的音樂規範，創造出新的美學——一種新的旋律和聲音。

新奇和發現是電腦高手的樂趣來源。專研創意的哈佛心理學家郎格（Ellen Langer）把這種態度稱爲「靈性」。有些人只會分析而沒有靈性，只能從現有的選項中尋找最佳選項，有靈性的人則會尋找新的選項。郎格寫道：「一個有靈性的人不是在現有的選項中尋找最佳選項，而是去創造選項。」

創造全新或酷的東西必須經過一番探索。你事先不知道會發現什麼，但也不是一無所知。作家安妮・狄勒德（Annie Dillard）說：

首先，你在腦海裡建構藝術品未來的樣貌。我必須強調，這個樣貌並不完美，它只是一種知性結構和美學表象。它只是靈光乍現，只是一種令人愉悅的知性產物。它是一個發光體，一種朦朧美……你知道這個作品還有很多不確定的地方。但你也知道，只要繼續進行下去，它就會發生變化，它的形式會在你手中發展出來，散發出更新、更豐富的光彩。但這種變化不會改變原來的樣貌或深層結構，只會更加豐富。

創造新的可能性會使人沈迷。電腦高手沈迷於設計中的軟體，音樂家沈迷於聲音和節奏，科學家則淹沒在樣本和數據中。如果把這種人關在一個設備完善的房間，他會不顧一切去發現新的可能。創新者不是不喜歡與人相處，也不是討厭人，只是人際互動不是他的最愛，因爲他能在科技、音樂、電影或其他媒介中找到更多滿足。對創新者來說，與人互動的唯一樂趣在於團隊工作時心靈交會的火花。樂趣在於共同分享同一種藝術（例如團體演奏、團隊研究、寫作交流等等），在於共同追求更美、更酷的東西。

心理醫生

電腦高手只是商業創新的必要條件而不是充分條件。我們還需要第二種人：行銷專家、天才經紀人、趨勢專家、廠商、生產者、顧問和精力旺盛的人物。這種人能看到潛在的市場，知道別人想要什麼、想看什麼、想體驗什麼，還知道如何提供這些東西。

第二種人的創意並不比藝術家、發明家或電腦高手來得低，只是類型不同。她並不想在特定媒介中尋找新奇，也不追求超越極限的樂趣，而是把創意用來發現別人潛在的欲望（有這些欲望的人可能根本不知道自己的欲望，而欲望的對象也可能根本不存在）。她的專業性不遜電腦高手，但不是專精於某種事物或媒介，而是某個產業的消費者、某一群客戶、網路使用者或選民。她的專長就是想出新方法去滿足這些人。她投入的精力不比電腦高手少，但她把精力用來發現別人想要什麼，而不是用來發現某種媒介能做什麼。

不要把這種人和傳統的推銷員混為一談。推銷員賣的是特定產品，是要說服消費者購買。推銷員的藝術（這的確是一種藝術，就算是騙徒也有某種藝術）在於如何說服和操縱客戶的情緒，如何把可見的產品加上一些不可見的性質，例如魅力、性吸引力、自信心等等。推銷員有靈活的手腕，偶爾也會碰壁，這些特質使推銷員成了美國文化的象徵。

但第二種人並不出售某種特定的產品，因爲現在的趨勢是針對客戶的個別需求而量身訂做。他們的工作不是說服消費者購買某種東西，而是去想像消費者會不會想買某種還不存在的東西，並想辦法去生產和提供這種東西。

我那位正在研發大型網路遊戲的學生是在開發一種屬於青少年的樂趣。她做過很多焦點團體調查，訪問過幾百個二十歲左右的人，並觀察他們玩遊戲的行爲模式。她現在正和軟體工程師合作設計一種軟體，玩家可以用這種軟體自行發明遊戲，吸引全球其他玩家加入。她的才華表現在問對問題、仔細分析答案、觀察行爲線索，並據此來想像消費者的需求。從這個角度而言，她是在爲消費者而不是爲特定產品的賣方服務。她是消費者的經紀人、顧問和代言人。

建築師迪斯彭（Thierry Despont）專門爲超級富翁設計豪宅。他不假裝自己是世界級的建築師，也不是什麼趨勢先鋒。他的天才在於能洞悉客戶的性格，實際展現客戶的獨特欲望。「要在我這一行成功，」他說：「你不只要瞭解客戶的需要，還要清楚他的夢想和記憶。你必須知道客戶的背景和欲望。奧妙就在於讀取人心，看到他們有意識和無意識的東西，看到他們沒有說出但體現在其周遭環境中的東西。」

在許多方面，第二種人和輔導員或心理治療師很像；雖然沒有後者那麼專業，但他們確實有洞悉他人欲望的能力。爲了強調這種工作的人際互動特質，並與傳統的推銷員做區分，我將這種人稱爲「心理醫生」。

電腦高手從各種媒介獲取無窮的樂趣，包括技術、科學、視覺藝術、文學形式、符號系統，或任何有自身規則和內在邏輯的事物。相對地，心理醫生的樂趣來自於人——人的渴求、恐懼、希望、需要和不自覺的看法。心理醫生運用感性，電腦高手擅長分析。電腦高手瞭解事物，瞭解某種媒介的創新潛力；心理醫生則瞭解人，瞭解人的可能欲望或需求。

兩者結合的企業天才

你可能注意到我在談電腦高手時用「他」，談心理醫生時則用「她」。我主要是不想每次都彆扭地用「他／她」（在這個女權高漲的時代）。我並不預設哪種性別傾向於哪種類型，當然也有女性的電腦高手和男性的心理醫生。但這種用法也不完全是巧合。不管是基因還是教育的關係，男性確實比較專注於事物，而女性則專注於人際關係。

每一個偉大的企業家都同時是電腦高手和心理醫生。企業家的眼光就在於能結合電腦高手對可能性的洞見和心理醫生對欲望的直覺，也唯有天才型的企業家才能兩者兼具。愛迪生是出色的電腦高手，他可以在電流中看到同時代發明家看不到的可能性。但他也是出色的心理醫生，因爲他知道消費者想要什麼（用唱片放音樂、用燈泡照明）。我們現在都把這些發明視爲理所當然，以爲當時的人都渴望這些東西，市場本來就存在。其實不是這麼回事。回想一下，幾年前你還沒用過電子郵件、網路或手機，甚至想不到會出現這些東西。它們超出你的想像，尚未進入你的生活。但到了今天，就算你對這些東西不盡滿意，甚至厭惡自己需要這些東西，你還是得依賴它們。等到你的小孩長大成人，他們也會把這些東西視爲理所當然，甚至以爲在這些發明出現以前市場就已經存在了。愛迪生不知道他的發明有沒有市場，完全是靠想像。他的天才在於能結合科技眼光和市場想像力。

歷史上還有許多這樣的天才企業家。你也許會認爲這些人的行銷能力比不上其科學或藝術天分，但他們確實對於哪些事物能感動人心有強大的直覺。莎士比亞、牛頓、富蘭克林、莫內和亨利·福特就是這種人。當代的人物還不能蓋棺論定，但我認爲下列這些人應該列入名單：科技鉅子和微軟創辦人比爾·蓋茲、網景和視算科技（ＳＧＩ）創辦人吉姆·克拉克、製片人兼大導演史蒂芬·史匹柏、時尚大亨凡賽斯、阿根廷鋼琴家阿格麗希、作曲家伯恩斯坦、小說家湯妮·摩里森和史蒂芬·金、行銷天才歐普拉和瑪莎·史都華。雖然這些人未必能和莎士比亞和牛頓相提並論，但他們都有神奇的能力去創造出人們想要的東西。

眞正出色的電腦高手或心理醫生只是少數，大多數人（不論男女）都只擅長一項。我們可以做一個簡單的測驗：如果你能夠專注在一個問題上好幾個小時，沒有注意時間飛逝，或者你喜歡解決難題，喜歡「跳出框框思考」或「邊緣性思考」（也就是說，你喜歡用新方法完成熟悉的工作，甚至用新方法來完成沒有把握的工作），你就有電腦高手的傾向。如果你喜歡花時間和人討論或爭論（就算會爭輸），喜歡給人建議或和人討價還價，你就有成爲心理醫生的特質。

如果老闆不會分辨這兩種傾向的差別，用人時就會犯下大錯。我曾經用過一個我以爲是心理醫生的電腦高手。等我發現錯誤後，我得去補救一大堆被破壞的人際關係。電腦高手有很棒的創意和分析，但對人際關係不一定在行。心理醫生則能「閱讀」人際關係中最細微的部分，但不一定有能力解決實際問題。好的管理者（不包括我自己）能直覺到兩者的不同，讓有不同天分的人適才適所。

一九九六年有一部電影《豪門夜宴》（*Big Night*）就是在講這種組合。有一對兄弟移民到美國開義大利餐館。哥哥是個天才廚師，但個性毛躁，不願意做一般的菜色。弟弟是嘴巴很甜的前台經理，想讓投資人滿意餐廳的業績。電影的主要情節是兩兄弟協議做一種特餐，既能讓哥哥施展廚藝，又能讓弟弟發揮行銷天才。但這項協議從一開始就注定失敗，因爲兩兄弟都聽不進對方的話。

電腦高手和心理醫生（藝術家和經紀人、發明家和行動家、工程專家和行銷專家、設計師和經銷商、導演和製片、網站的設計者和推銷者、政治人物和政治顧問、天才和他的隨從）是企業團隊的一體兩面，兩者共生共存。他們要互相學習才能帶來創新。如果兩者缺一，這個團隊就不會有眞正的企業家眼光。電腦高手也許能做出很「酷」的東西，但不會有經濟價値。因爲他們不知道客戶要什麼，做出來的東西就沒市場。心理醫生也許能想出能滿足消費者深層欲望的方法，但沒有技術上的可行性。因爲他們不知道進一步發展的可行性何在，就只能受限於傳統，或胡思亂想一些不實際的東西。

事實上，「什麼是可行的」和「什麼是消費者想要的」正在成爲每個企業面對的核心問題。當競爭條件從大量製造和出售同樣的產品轉型爲快速創新和創造品牌後，電腦高手和心理醫生就變得密不可分。只有結合特定媒介的知識（軟體、音樂、法律、金融、物理、電影等等）和特定市場的知識才會產生利潤。

消費者花在創意（電腦高手和心理醫生的產品）的錢越來越多，花在製造和運輸的錢越來越少。光碟片、電晶體和止痛劑的製造成本只有幾分錢，消費者負擔的大部分是研究、設計、行銷和廣告成本。新車售價來自設計和行銷成本的比重越來越大，另外也包括用來控制存貨、生產、會計、薪資和物流的軟體與電腦的設計成本。書籍的製造成本只占價格的一小部分，你付的錢大多被出版商、編輯、封面設計者、經銷商、行銷企畫和廣告商拿走了；當然，作者也拿到一部分。而網路空間是由「內容」和「流量」所構成，幾乎只有電腦高手和心理醫生活躍其中。

從資訊掮客到知識掮客

在專業性服務業也可以看到相同的趨勢。幾年前，證券公司開始重金投資於研發和資訊科技。股票和債券的資訊可以即時更新，並且提高代客操作的效率。到了今天，所有客戶都能從家裡的電腦得到同樣資訊，自己就可以在網上交易。那麼華爾街要賣什麼呢？賣諮詢。諮詢有兩種，一種是關於金融市場未來走向的知識，一種是關於客戶可能想投資什麼的知識。

華爾街的「營業員」現在被尊稱爲「理財顧問」，但改變的不只是名稱而已。我不需要營業員幫我交易，但我需要他建議怎麼處理我的存款。他不但得瞭解我和我家庭的財務狀況，還得擁有足夠的金融知識，這樣我才能信任他。華爾街的當紅炸子雞是「研究分析師」，他們精通金融市場，也對投資人的狀況一清二楚，可以爲個人也能爲公司當顧問。他們賣的是高層次的諮詢。

所有出售資訊的專業人員都面臨同樣的趨勢，不管是房地產經理人、抵押貸款公司、保險經紀人、旅行社、會計師，還是只會照本宣科的醫師和律師。這些人都是「資訊掮客」，都是在把專業資訊賣給客戶、病人和消費者。電腦使他們的工作更有效率：房地產經紀人使用電腦化的資料庫，抵押貸款公司用電腦查證客戶的信用紀錄，保險經紀人運用電腦來估算風險和保單定價，旅行社經由電腦查知飛機和住宿的資料，會計師、醫師、律師也用電腦來處理許多問題。但是當客戶、病人和消費者也可以從網上得到同樣的專業資訊以後，資訊掮客就失去作用了。

資訊掮客將會像股票經紀人一樣，轉型爲「知識掮客」：將專業知識和對客戶的瞭解予以結合。我們家每年都要去旅行，我只要按幾下滑鼠就能安排一切。但我的旅行社長年累積大量的旅遊資訊，對我們家也很瞭解，所以我還是請他們幫我規劃行程。

但知識掮客也不能就此鬆懈。網路上有越來越多爲消費者量身訂做的顧問服務，只要回答一些問題就行了。要不了多久，投資人只要輸入財務狀況、願意承受的風險、年齡和需求，線上財務軟體就會建議最佳的股票、債券和不動產投資組合。只要輸入自己的興趣和以前的度假經驗，度假規劃軟體就會自動建議旅遊地點。網路可以根據你對問題的回答，給你不輸律師、理財專家、工程師、建築師、醫師、會計師和稅務專家的專業建議。

那這些專家以後幹嘛呢？有些人會轉爲設計和行銷這些知識仲介軟體的電腦高手和心理醫生，而且不斷加以改良。有些人則會變成另一種專家，專門解決電腦軟體無法解決的問題。還有一些人會變成顧問兼心理治療師，照顧那些只相信眞人的客戶。

在零售業也可以看到從資訊掮客到知識掮客的轉型。有些零售業的工作人員會被網路取代（更精確地說，是被設計和銷售這些網路軟體的電腦高手和心理醫生所取代），但銷售員還是會有一席之地，因爲還是有很多消費者需要有人幫忙做決定。其中有些服務會以網路或由遠在千里之外的客戶服務中心以電話來提供，有些則仍由眞人直接提供，但價格通常比較貴。

互相學習

凡是成功的企業都有辦法結合這兩種創意工作者，既讓電腦高手瞭解市場，把創造力放在有利可圖的地方，也讓心理醫生瞭解科技的潛力，把消費者引導至最好的方向。電影公司需要好的演員和導演，也需要懂得觀眾口味的製作人。出版社要有好的作家，也要有懂得行銷的編輯。最高明的資本家不但會尋找最好的電腦高手和心理醫生，也懂得如何將兩者結合。時裝公司要有自己的設計師，也要有隨時監控市場、注意其他公司動向的時尚專家。依此類推，所有的經濟環節皆是如此。

心理醫生能爲電腦高手發明的東西找到意想不到的商業用途。minoxidil原來只是一種降低血壓的藥物。它能防治高血壓，但也有刺激女人毛髮生長的副作用。只有眼光獨具的心理醫生才能看出它有治療禿頭的商業潛力。創新經常就是這樣開始的，它不只是在科學、技術和藝術領域上的突破，也是在應用方式上的突破。

同理，如果電腦高手能多瞭解潛在市場，就能爲已經普及的技術找到新用途。多年以前，許多醫院都需要有效追蹤病人的方法，因爲有太多病人在不同的醫療系統間轉來轉去，病歷很不完整。後來有一個熟悉貨運公司追蹤包裹軟體的電腦高手想到，這套軟體只要稍加改進就能用來追蹤病人，而且成功針對各個醫院的需求來量身訂做。

若電腦高手和心理醫生能多多相互學習，就會產生更多創新。但在典型的大企業官僚組織中，電腦高手和心理醫生經常被分別孤立在研發部門和市場行銷部門。結果，雖然在技術上和客戶需求上偶爾會有新發現，但由於兩者缺乏聯繫，眞正的創新很少出現。全錄的帕洛奧圖研究中心（ＰＡＲＣ）長久以來是電子工業的創意溫床，但全錄從未想到利用這些創意。全錄在康乃迪克州史坦福市的總部專注於複印和文件傳輸的市場需求，沒有想過加州研發人員的新發明有什麼市場潛力。只有少數發明會從帕洛奧圖送到史坦福，其中之一是雷射影印，而且主要是因爲全錄有個叫羅伯．亞當斯的人恰好對這種新科技和潛在市場都很瞭解，在公司內部大力宣揚這種新產品。

帶來不斷創新的相互學習過程通常是非正規而沒有計畫的。這就是新經濟有利於由電腦高手和心理醫生組成的小企業，而不利於大型官僚組織的原因。這也是爲什麼這些小企業的組織通常很鬆散，採用開放式的辦公空間讓員工容易互相找到的原因。隨性的穿著（開領式上衣、牛仔褲和運動鞋）不只是為了好看，也會讓員工都像好朋友一般，而人和好朋友在一起的時候最有創造性和主動性，最願意和別人分享靈感和創意。

美國的企業聚合區（滋生出大量創新企業的地方）讓電腦高手和心理醫生有不斷交流的機會。波士頓高科技走廊的優勢在於接近麻省理工學院與哈佛商學院。哈佛的教授不以科技見長，麻省理工的教授也不是市場嗅覺敏銳之輩，但留在這裡工作的兩校畢業生可以互相學習，正是這種交流讓這個區域的經濟起飛。

矽谷的優勢也在於集合了電腦高手（通常是史丹福大學的畢業生）和市場嗅覺敏銳的資本家。矽谷的企業家精神可以追溯到一九三〇年代末期，當時有一個史丹福大學的工程學教授佛瑞德．特曼（Fred Terman），他鼓勵兩個學生——威廉．惠列（William Hewlett）和大衛．普克（David Packard）——自創公司（編按：即惠普科技），並說服史丹福大學將部分桃樹園改為高科技工業園區。但靠著資本家和行銷人才的努力，這片屬於電腦高手的園區才能有公司紛紛設立（如昇陽、思科、視算科技和雅虎），最後開花結果。

過去七十年來，好萊塢一直是藝術家和行銷天才的溫床。藝術家（編劇、演員、導演、化粧師、攝影師）知道怎麼運用電影這種媒體，行銷大師（經紀人、宣傳人員、製片場經理和製作人）則懂得如何抓住大眾的口味。而華爾街有金融怪才和金融行銷天才，兩者直接擦撞出一連串的金融創新。

這些地方會激發創意不是因爲有很多電腦高手或心理醫生，而是因爲結合了兩者。有人認爲好萊塢的產品已經太公式化，當地的心理醫生已經太多，現在缺的是眞正有創意的藝術家。也有人認爲紐約文壇有太多自以爲了不起的作家，對大眾的口味不屑一顧，所以無法創造新的文學潮流。以色列是科技創新的重鎮（當地有很多工程師、技術人員和程式設計師，其中很多是來自前蘇聯的移民），但缺乏市場敏銳度，因此沒有獨立的企業經營能力。以色列的電腦高手必須靠跨國公司的心理醫生幫忙行銷。

美學與市場

以上所說並不意味著只有具商業潛力的發明才算偉大、才有價值。沒有人欣賞的電腦軟體還是可以很「酷」，沒有票房的電影還是可以拿奧斯卡獎，沒幾個讀者喜歡的小說還是可以拿美國國家圖書獎。事實上，消費者不永遠是對的，過度取悅消費者可能會扼殺創意。

作品的評價標準有兩種：根據內在的美學要求，或根據市場的歡迎程度。影評、書評和軟體評鑑的標準可能是任何一種。「這部電影很棒」可能是指導演將電影藝術在風格、精緻度和美學上推到了一個新境界，即使根本沒有票房；也可能是指觀眾會非常愛看這部電影，即使整部電影都在瞎扯。

這兩種標準很少被明確區分，因而造成不小的災害。當經濟競爭越來越激烈，商業評價就會淹沒美學評價。由於消費者面對太多選擇，越來越需要其他人推薦，對於美學評價的興趣就越來越低。

然而，這兩種標準都是社會所需要的。消費者當然想知道有哪些有趣的軟體、電影或其他新東西，電腦高手和發明家也要知道大家喜歡什麼。但除了享樂之外，把美學標準教育給大眾也很重要，否則社會就失去了能夠刺激和強迫大眾去面對真相的機制，而這是非常危險的。

幾十年前競爭還沒這麼激烈的時候，藝評家、書評家、專欄作家、教育家和德高望重的人會負責裁判品味，他們的專業就是評斷作品。有的人古板而妄自尊大，只會拘泥於傳統教條和陳腐的形式。但也有大膽和有眼光的人，這些人主導了對美學標準的討論，提醒社會大眾去注意精緻和通俗的差別。

但在一個激烈競爭的世界中，消費者可以買到任何想要的東西（甚至有軟體根據過去的購買紀錄來建議該買哪些東西），美學標準的評斷者就變得越來越不重要。唯一的評斷標準是消費者的欲望，而銷售量就是最好的指標，其他都無關緊要。當市場主導一切，專業和藝術就失去了空間。

艾普斯坦（Jason Epstein）說，當他在一九五○年代末進入藍燈書屋當編輯時，他和同事們都不認爲自己是生意人，而是「傳統的守護神，就像倫敦的裁縫師或中國古瓷的收藏家」。他還說：「如果出的書暢銷，我們當然很開心，但更重要的是，這本書會不會永遠成爲文化的一部分。」但激烈的競爭迫使出版商更重視最低銷售量。當所有作家、演員和音樂家都被激烈競爭的跨國媒體集團收編之後，誰還敢打破傳統、標新立異？在每個電腦高手都被只看商機的冷酷企業雇用之後，誰還要做沒有直接商業價值的基礎研究？

專家一向不爲商業需求所動，他們的責任就是說出不受歡迎的眞相。但現在的專家也很危險了，他們的生計越來越依賴市場。新聞記者不得不寫一些賣得出去的東西，不管有多煽情、多荒謬，因爲新科技會帶來立即的市場反應。網路雜誌知道有多少讀者看每期、每篇的文章，廣告商和投資人也一樣。當市場反應的測量技術越來越精細，迎合消費者的壓力就越來越大。

非營利機構也不能倖免。有一位在非營利機構當主管的朋友告訴我，她推動的計畫都得讓贊助商覺得有助企業公關，有爭議性的東西盡量不碰。不少大學教授只研究贊助機構有興趣的題目。博物館館長也希望能有「轟動一時」的展出，以吸引大眾和贊助人；通常是另一輪印象派或古董展。

當然，由於新科技能針對客戶的獨特品味來量身訂做，天才型的電腦玩家和心理醫生於是有機會表現與眾不同的創意。他們可以直接和品味同樣獨特的消費者聯繫，不必透過大眾市場。這樣一來，美學就不必太對市場妥協，因爲總會有一個「小眾」市場存在（不管有多小）。在一千五百個電視頻道中至少會有一個具爭議性，也至少會有一家網路出版社發行非常小眾的書籍。問題是，這些反叛者到底對日益媚俗的大眾文化有多少影響，或者他們只是偏遠而無傷大雅的避風港？

對現代社會來說，言論自由的最大威脅不是來自高壓政權，而是消費者很容易改變選擇的市場競爭機制。市場殘暴地決定了寫作、傳播和研究的內容。社會大眾只能沈浸在逸樂之中，凡是令人不快的都被排除，永遠不知道眞正該知道的事。

創意工作者——我所謂的電腦高手和心理醫生——的市場需求會越來越大，因爲他們是創新高手，而創新是新經濟的核心。這些人可以快速創造出更好、更便宜的產品，會和別的電腦高手和心理醫生相互競爭，產品的價格和品質因此獲得進一步提升，企業對這些人的需求就會增加，他們的薪水便跟著水漲船高。他們會因爲知性和藝術性的瘋狂投入而有高低起伏的情緒。他們的工作時間必然很長，就算下班後也不休息。電腦高手和心理醫生的腦袋永遠處於工作狀態。

4 忠誠過時了

富有創意的電腦玩家和心理醫生有很大的市場需求，只能做例行公事（這類工作由機器、電腦或其他國家的便宜勞工來做成本會更低）的人則岌岌可危，因爲企業降低成本的壓力越來越大，也越來越能利用科技來辦到這一點。大多數人還能找到工作，但日常性工作會越來越少。許多人將從事強調個人關照的工作，因爲這種工作需要和客戶直接接觸，是電腦和外國勞工辦不到的。❶

大多數人的問題不是沒有工作。在美國，只要想找工作很少有找不到的，但問題是薪水不高。在歐洲、日本和一些工資彈性不如美國那麼高的國家，市場需求不高的人不是沒有工作而仰賴社會福利（如歐洲），就是做一些「假性」的工作，薪水高於眞正的工作產出（如日本）。但即使在歐洲和日本，慷慨的失業津貼和公司辦慈善事業的好日子也即將結束。面對全球投資者和消費者的壓力，這些國家不得不向美國看齊。

就算賺錢的美國企業也在大搞「減肥」、「適型化」、「再造」等活動。這些流行詞彙的意思其實就是「裁員」。這些企業一方面招募更多電腦玩家和心理醫生，一方面縮減例行性生產員工的工作機會、薪水和退休金給付，並把工作外包給工資比較低的企業。越來越多公司用網路B2B賣場尋找最好的供應商，而這些供應商也得降低成本才能保持競爭力。非營利機構也有同樣的壓力。醫院、博物館和慈善機構都得大幅降低成本，所用的方法連三十年前的私人機構都會覺得太過殘忍。大學開始減少以終身職聘任教授，改用一年一聘的方式廉價雇用流動學者，並把大部分的校園維護工作外包給廉價的承包商。

企業對所在地也不再忠誠。企業總部作爲某個地方最大就業來源的時代早已過去，例如羅徹斯特的柯達、辛辛那提的寶鹼、亞特蘭大的可口可樂、舊金山的李維牛仔褲等，這些公司都在經歷減肥、外包和分散的過程。跨國企業的總部現在都搬到靠近機場的完善辦公園區，工廠和實驗室散布全球，並經常改變供應商和合作夥伴。當道奇棒球隊在一九五〇年代離開布魯克林時，很多球迷呼天搶地。現在的職棒隊則經常搬家，只要哪個城市有更新更好的場地。球迷們還是會把某一隊看成是「他們的」球隊，但這句話的意思已經變得很模糊了。佛羅里達馬林魚隊用一群臨時拼湊的球員贏得一九九七年的世界大賽，球隊老闆在前一年冬天才買進這些球員，拿到冠軍之後，他馬上就威脅邁阿密市幫他造一座新球場，否則就要解聘這些明星球員，把整個球隊賣掉。

也許你會說，現在的企業之所以這麼冷酷，是因爲近幾年來日益瀰漫的貪婪之風。但這種看法並不正確。美國人的國民性格沒有什麼改變，而是因爲消費者和投資者的選擇性變大了，才使所有企業面臨著競爭壓力。當競爭壓力變大，制度性的束縛也就跟著減弱。

在過去，有限的交易選擇使消費者和投資者只能待在原地，制度性的束縛比較強。溫和的競爭也使隱性的社會契約得以存在。只要員工能好好做事，有錢可賺的老闆就會給員工穩定的工作。地方性商店與服務業面臨的競爭有限，其行爲也相同。大學有固定的學生和捐款來源，所以大部分教授都能拿到終身職。醫院有固定的病人和預算，所以能不斷擴充醫療人員。每個人的工資都只升不降。

二十世紀中期，美國大企業主管的辦公室都配備有桃木家具、絨毛氈和東方地毯，工作方式非常優閒。大規模生產的穩定性讓這些主管安然自得。因爲投資人和客戶不會亂跑，二十世紀中的主管對所有人都很慷慨。「所謂管理，」標準石油董事長亞伯蘭斯（Frank Abrams）在一九五一年的一場演講裡說：「就是要在股東、員工、客戶和公眾等各種利益團體間求取公正的平衡。」從這個角度來看，大企業就像要對每個人負責的半公益事業。而企業負責人之所以專業，亞伯蘭斯認爲，是因爲「他們和所有專業人員一樣，從工作中看到對公眾所負有的基本責任」。

這種餘裕使亞伯蘭斯等企業負責人有很大的空間去運用公司盈餘，平衡各方的要求。但亞伯蘭斯故意對企業主管的享受隱而不提，其實這種要求往往優先。二十世紀中期的企業主管經常身兼數職，不但每星期打好幾回高爾夫球，享盡奢華的娛樂，還常在公益場合露臉，偶爾涉足政治。大學校長和基金會執行長的生活也是如此。❷

在二十一世紀初，企業主管的說法完全不同。企業不再對員工、社區和公衆負有什麼責任，唯一的責任是拚命降低成本和增加價值，把股價抬到最高。可口可樂前執行長古茲維塔（Robert C. Goizueta）將這種新邏輯說得很清楚：「企業存在的目的就是要滿足經濟需求。妄想滿足所有人非失敗不可……我們只有一個工作：爲股東創造合理的利潤。……我們必須專注於中心任務：不斷創造價值。」不管是大學、醫院、博物館還是慈善機構的負責人，現在都得全力籌措經費、確保收入來源。

不忠誠的新邏輯

誰該爲美國人越來越向錢看而負責？每個美國人都有間接責任。這不是說美國人有意如此，而是因爲人們能輕易找到更好的交易機會，才無心造成這樣的結果。換句話說，不忠誠是從每個人身邊開始的。只要仔細觀察那些全力降低成本的大企業，你就會瞭解箇中原因。

先從股票說起。股票代表未來的利潤，任一時間點的股價都反映了大多數投資人的預期，是投資人過濾所有資訊，將未來的利潤換算成現值的結果。股價不是完美的指標，因爲投資人常常會非理性的過分樂觀或悲觀。但從長期來看，股價還是反映公司未來獲利能力的最佳指標。股價就像早期預警系統：如果企業負責人做出讓多數投資人預期會縮減未來利潤的決策，投資人就會出售股票，股價就會下跌。如果股價跌得太低，企業就難以從股市取得創新所需的資金。股價低落表示投資人不相信現任經理人能善用資金，這會迫使經理人走路，換上比較好的人。

投資人的權力越來越大，因爲他們追求更好交易機會的意願和能力都增強了。一九七四年，國際鎳公司（International Nickel Company）暗中收購蓄電池公司（Electric Storage Battery Company）的股票，取得控制權之後就把蓄電池公司的主管掃地出門。在國際鎳公司幹出這種骯髒勾當之前，華爾街普遍認爲這是一種不光明甚至不道德的行爲。但一旦有了先例，無恥的行爲就變成普遍現象。一九七〇年代一共發生十二件惡意併購的案例，企業總值高達十億美元。一九八〇年代則有超過一百五十件。

這些「狙擊者」是企業主管的鬼見愁，他們以收購公司和削減成本來獲取巨額利潤。也許你會認爲，這些野心家能看到沈迷在寡占舊世界中的企業經理人所看不見的機會。也許你會覺得他們太過冷血，不但會大量借款來發動攻擊（用高風險的「垃圾」債券來做「槓桿收購」），還會壓榨供應商、壓制工會、削減工資，並把工作外包給世界各地的低成本製造商。這兩種看法也許都對。但不管你怎麼看，併購的確使利潤提高，也使股價上漲。垃圾債券大王在一九八〇年代到處被人咒罵，今天則被尊爲使美國企業更具競爭力的功臣。這是公正的評價，雖然他們的策略不是永遠成功。當垃圾債券的價格在一九八〇年代末掉到谷底時，那些在高價搶進的儲貸公司紛紛破產，最後得用美國納稅人的錢來收拾爛攤子。納貝斯克（**RJR Nabisco**）曾是一九八〇年代最大的槓桿收購公司，最後也在一九九九年被分割。

惡意併購改變了企業管理者和投資者的行爲。投資者（包括那些吸收美國人大部分積蓄的退休基金和共同基金）的要求與期待提高了。而這些投資機構因爲可以有效率地選擇和轉換投資管道而日益龐大。它們也願意給最會削減成本、最會賺錢、最能讓股價上漲的管理者巨額的酬勞。企業主管的「薪資組合」普遍包括與股價做直接聯繫的股票選擇權和紅利。這股趨勢是我和前柯林頓政府的同僚無意間助長的。柯林頓在一九九三年入主華府時，誓言要把公司所得稅對主管薪資的扣除額限制在一百萬美元以下，只有在主管的薪資視其「表現」（股價的成長）而定才可以例外。從此之後，配股和紅利就大行其道，提高股價成了企業無所不用其極的第一要務。在一九八〇年，美國大企業執行長的年薪大概是一般員工的四十倍，一九九〇年則提高至八十五倍。在二十世紀最後十年，執行長的平均年薪從一百八十萬美元增加到一千兩百萬美元，成長超過六倍，是一般製造工人的四百一十九倍。

無法提高股價的執行長很容易丟掉飯碗。在一九九〇到二〇〇〇年間，IBM、AT&T、西爾斯、通用汽車、全錄、可口可樂、安泰集團和其他績優企業的高薪主管有如走馬燈般變換，有時上台才幾個月。康柏電腦在一九九九年第一季的獲利不如預期而造成股價下跌，董事會立刻請執行長走路。康柏董事長向《紐約時報》解釋：「有些競爭對手在網路事業上搞得比我們好。」這個意思就是說：我們得找一個更會削減成本、更快運用新科技的執行長，向華爾街證明公司已經重上軌道。

傳統上，董事會成員不過是執行長的傀儡。但在「優質企業管理」的旗幟下，退休基金、共同基金和其他投資法人要求董事會必須更獨立。如果董事會不讓差勁的執行長走路，投資人就會請整個董事會走路。一九九八年五月就發生過這種事。有一個操作許多大學教授（包括我在內）退休金的大型基金逼走了**Furr's/Bishop's**（美國中南部的連鎖自助餐館）的九人董事會。其中一名董事用「令人震撼」來形容這場政變。

以上所說的每個事件，剛開始都「令人震撼」（第一次惡意併購、第一次用垃圾債券做槓桿收購、企業執行長第一次收到價值千萬的股票選擇權、董事會第一次公然開除執行長、全體董事會第一次被迫下台），因爲它們違反了原本穩定而可預期的經濟關係。但每個事件都從此改變了企業的遊戲規則，讓投資人得到更多利潤，迫使管理者專注於公司股價。

不忠誠的後果

企業執行長最關心的是累積財富，最在意的是被開除。他們一心想降低成本、改良產品來提高股價，結果整個經濟都受影響。好的一面是：美國企業變得更有生產力，產品和服務都大幅改進。壞的一面是：工作和收入越來越沒有保障，例行性生產員工的薪資和福利都縮水。

企業經常在經濟不景氣時裁員，等到景氣復甦後又重新雇用，但這種現象在一九九一到一九九二年的蕭條期過後並沒有發生。企業對資訊科技的投資大幅提高，但裁員率在一九九○年代的經濟繁榮時期依舊居高不下，儘管總體失業率是下降的。IBM和全錄的管理階層大風吹之後，兩家公司都開始裁員。一位財務分析師把全錄在一九九○年代末的大屠殺描述成「英雄之舉」，另一位則認爲這是「眞正的典範轉移，從工程導向的公司轉型爲以淘汰基礎設備來降低成本的公司」。可口可樂一向是亞特蘭大的就業保證，但新執行長在二〇〇〇年一月上台後，馬上宣布裁減總部一半的員工。「世界已經變了，」新執行長解釋：「我們也得跟著變。」

由於經濟成長強勁，近幾年被裁員的人很容易能找到新工作。在本書撰寫期間，勞動市場的緊俏程度正值三十年來最高峰。在這種情況下，被解雇的人還是有很多工作機會，他們失去的只是經濟安全感。

大企業正在打破官僚系統——用電腦軟體做會計、採購和存貨，用網路做客戶服務，場地與設備以租代買，透過網路競標將事務外包給出價最低的廠商。把過去那種金字塔型的組織忘了吧！如果目前的趨勢持續下去，未來的企業將只由一連串的契約所構成，每個環節都用競標來讓客戶得到最大利潤。以惠好公司（Weyerhauser）為例，它設在威斯康辛州的製門工廠一向認為哥倫比亞木材公司是最好的薄板供應商，直到後來在網路上找到更好、更便宜的公司。惠好公司給哥倫比亞木材公司六個月的改進時間，後者立即降低成本和改善品質，使得惠好公司的競爭力也跟著提升。

有些轉型特別激烈。在一九九〇年代，有兩百三十年歷史的大英百科全書出版公司將旗下兩千三百名推銷員全部解雇。理由很簡單：如果大部分資訊能從網路上找到，誰還要買三十二大冊售價高達一千兩百五十美元的百科全書？該公司後來在一九九九年把全部內容放到網路上。

所有產業都天翻地覆。在一九八〇年，生產一公噸鋼鐵要十小時人工，全美當時有四十萬鋼鐵工人。二十年後，「小熔爐」每兩小時就能生產一公噸鋼鐵，鋼鐵工人已剩不到十五萬，而全美鋼鐵工業的總值只有亞馬遜網路書店股票市值的一半。

各企業爭相把工作外包給成本低廉的外國廠商，特別是東南亞和拉丁美洲。奇異前執行長威爾許最愛說的一句話就是「把檸檬榨乾」，而奇異就是這麼幹的，把所有供應商都逼到墨西哥去生產。現在有超過一百萬墨西哥人在美墨邊界的加工出口區工作，一九九〇年時還只有四十萬。過不了幾年，印度和中國成千上萬的技術人員、程式設計師和軟體工程師將會在亞洲的個人電腦上透過網路替美國公司工作。二〇〇〇年時，已經有五萬個印度人爲跨國企業擔任後勤工作，例如輸入和擷取網路資料、處理客服電話和做線上會計等。

企業對付工會的手段也越來越大膽，會將罷工和搞工會組織的人通通解雇。這種手段自一九三〇年代以來就是違法的，直到最近仍不常見。在一九五〇年，每二十次工會選舉才有一起非法解雇的案例，但到了一九九〇年代，美國全國勞動關係局發現每三次工會選舉便會發生一次非法解雇。民營企業員工加入工會的比例則從一九七三年的三〇%降到二〇〇〇年的九．六%。

造成這些現象的動力爲何？繞了一大圈，其實我們自己才是原兇。大型慈善基金、大學教師的退休基金甚至工會的退休基金都在高喊要企業降低成本。像你我這種存款人可能什麼都不懂，但由於這些機構都要爭取我們的存款，這些現象就會出現。我也是個小幫兇。我並沒有意識到這一點，但如果我投資的教師退休基金的經理人不能給我最高的報酬率，我就會換另一家基金。現在要換基金比過去容易多了，經理人也知道這一點，所以會管好基金。

作爲消費者，你我也在無意之間促成這些現象。我們無意降低工資和打壓工會，但我們在選擇最便宜的產品和服務時卻經常促成這種結果。現在已經不是舊產業經濟時代（存有寡占、管制和貿易障礙），企業無法輕易提高產品價格，將上漲的工資成本轉嫁給消費者。我們現在有更多選擇，可以去買那些部分或全部在國外製造的產品。我們也可以買非工會員工的產品，更可以買用自動機器所製造的產品。你、我和其他消費者都不想打擊工會，也不想壓低例行性生產員工的薪水，但一旦我們運用更大的選擇權，其實就是在做這些事。我們讓沒有工會的產業比有工會的產業成長得更快，間接鼓勵企業用比舊產業經濟時代更強硬的手段去對付工會。

有些人會因爲知道自己的選擇會造成這些後果而改變消費和投資行爲。比方說，我們可以只買「有工會標記的產品」，可以要求廠商保證其產品不是由東南亞的六歲小孩日以繼夜製造出來的，可以把錢放在「社會責任」共同基金（只投資那些行爲良好的公司）。

各種方法都可試試，就算價格高一點、投資報酬率低一點也沒關係（事實上，許多「社會責任」基金的效益比一般共同基金還好）。我們也許認爲犧牲是值得的。我們甚至可以立法禁止某些社會後果特別嚴重的商品或投資。畢竟在美國境內就不准有童工，美國人也不和流氓國家有貿易或投資上的往來，儘管這種限制會損失一些好處。憲法並不保障國民有買到最好或最便宜商品的權利，也不保障最高投資報酬率。但是任何限制都有成本，所以問題仍然在於：犧牲是否值得？

美國以外

在全球投資者的要求之下，就連企業、員工與社區間有很強傳統的地方（多數歐陸國家、日本和東南亞）也招架不住。跨國公司需要美國的資金，美國投資者也急於把資金分散到全球。在一九九〇年代，海外持股占全美股票投資額的比例從六%上升到將近一〇%。

美國的大型投資法人悄悄帶動了這股風潮。德國製藥廠 Shering AG 的財務長波勒（Klaus Pohle）這樣向柏林的聽眾說明他的決策方式：「我到波士頓拜訪費絲頓女士（富達投資的基金經理人），她告訴我應該怎麼做。」當法國電訊公司阿爾卡特（Alcatel）在一九九八年宣布年度獲利不如預期時，股價立刻下跌五五％。阿爾卡特不得不大幅降低成本，裁掉一萬兩千名員工，股價才在六個月後開始回漲。法國總統席哈克在一九九九年法國大革命紀念日演講時憤怒地說，這件事完全是由於「加州退休者忽然決定要賣掉阿爾卡特」。他指的是加州的大型公務員退休基金。

加州的退休公務員都是溫文和善的老人，他們爲美國奉獻了大半輩子，卻被罵成自由市場資本主義的急先鋒。他們只是把存款放在大型退休基金，這些基金卻成天忙著在世界各地摧毀公司、員工和社區間的傳統紐帶。曾有一支基金對德國一家公用事業ＲＷＥ表示不滿，原因是市政府對董事會的控制權太大，使加州公務員持有的ＲＷＥ股票下跌。ＲＷＥ表示其股權結構是和市政府之間的重要聯繫，但基金聽不進這種說法，威脅要出清股票，結果這家公司立刻取消市政府的董事席位。

這不能全怪美國投資人。歐洲投資人也同樣將資金放在報酬率最高的地方。他們迫使歐洲企業走上美國的路子——惡意併購、趕走不能讓股價升到最高點的執行長、到工資低廉的國家設廠。昂貴的勞動成本迫使德國公司轉移陣地到亞洲，ＢＭＷ甚至在南卡羅萊納州設廠。瑞典通訊巨人易利信將全球總部從高成本的瑞典移到低成本的倫敦。一九九九年，美歐混血的戴姆勒克萊斯勒汽車的新總裁上任，大膽宣布其首要目標是「股東價值極大化」，然後馬上關閉一些在德國的工廠，把生產外包給亞洲廠商。緊接著，米其林輪胎也做了一件令人意想不到的事：宣布在三年內裁減七千五百名歐洲員工，雖然該公司前六個月的利潤上升二〇％。另一方面，歐洲的管理人才被高薪吸引到亞洲去工作。「如果政治人物不立刻拿出辦法，」法國生化製藥巨人法台化學公司（Rhone-Poulenc SA）董事長尚芮那．福特（Jean-Rene Fourtou）警告：「所有公司都會離開歐洲……他們會一步步把資金從歐洲搬走。」

日本企業對全球投資人的依賴度也越來越高。由於投資者注重信用評等和投資報酬率，所以連日本人也開始做幾年前根本不可能做的事：裁減員工、外包給東南亞的低成本製造商、取消「終身雇佣制」。日產汽車在一九九九年底宣布裁減兩萬一千名員工，其中多數是日本人。NEC和新力則分別宣布要裁減一萬五千名和一萬七千名員工。

不要以爲這股趨勢在每個地方都是必然的。任何社會都可以選擇維持舊工作、保存傳統產業、防止全球資本的快速流動。但這種社會得付出代價，它的創新速度會不及開放的社會，人民也無法獲得更好的商品或全球資金的挹注。不過，我不想過度渲染如此選擇的後果，因爲在維護傳統和求新求變的兩極間還有很多中間選項。我也不想一下說得太過頭。這個基本議題可以待會再談。

忠誠的好處

有人會抗議我沒有考慮忠誠的正面作用。當然，我不否認善待員工和供應商確實有好處。有很多證據顯示，覺得受到善待的員工會有比較高的工作意願。汰換員工要花一大筆錢，而工會有時可以調動員工的積極性以提高生產力。如果供應商覺得自己被當成夥伴而不是被人斤斤計較的小販，就會比較願意分享客戶資料，願意從事新投資去改善整個供應鍊。「企業公民」的良好外在形象有助於企業公關，提升銷售量。不少「社會責任」基金的投資報酬率很高，正是因爲其中確有好處。

然而，不管善待他人有什麼好處，企業對員工、供應商和社區的責任都不能高於爲投資人帶來最高報酬的責任。私人企業要創造足夠的利潤來再投資和維持競爭力，非營利機構則要有足夠的收入以達成其宗旨。如果善待他人可以達到這些基本目標，這個算盤當然可以打，但只能到此爲止。即使是李維牛仔褲這種社會形象良好的服裝公司（在大蕭條時期依然雇用多數沒事可做的員工），到了二十世紀末也得切斷跟社區與員工的關係，關掉北美洲大部分的工廠，裁掉將近一半的員工，將生產外包給勞動成本較低的外國工廠。當然，李維對員工還是很好，不但給員工高額的資遣費，還幫他們做職業訓練。但李維終究還是得切斷關係，因爲競爭對手已經這麼做了，它們較低的成本已經威脅到李維的生存。

在新經濟中，善待員工、供應商和社區得有好處才行。如果「社會責任」可以贏得員工、供應商或社會大眾的好感，對企業才是划算的事，新的競爭邏輯也會要求企業經理人這麼做。然而，如果「社會責任」違背了基本目標，使企業將資源挪爲他用而不能比對手生產得更好、更快、更便宜，就會增加消費者和股東移情別戀的風險。也就是說，經理人做這種事等於是在自殺。

忠誠的異常性

只要重複次數夠多，起初令人意外或厭惡的事情就會被接受；一旦被接受就會被大量複製，最後成爲常態。過去被視爲背叛的商業行爲現在便已經成爲常態。當ＡＴ＆Ｔ在一九九六年初宣布裁減幾萬名員工、發給執行長高額紅利時，媒體一面倒地譴責。幾家跟進的大企業也被共和黨總統候選人批評爲不忠不義，一份全國性的新聞週刊還把這幾家企業的執行長照片放在封面上，標題是「企業殺手」。到了一九九〇年代末，裁員的幅度依舊，大企業的利潤則比一九九〇年代中期更高，經理人的酬勞也上漲許多。但這時不但沒有人譴責，也沒有人覺得不好意思。因爲這已經是美國企業的常態。

對上一代人來說，被公司開除表示道德有問題，表示人格有嚴重的缺陷。員工只有在不景氣時才可能被暫時解雇，但不是永久開除。裁掉一個稱職的員工並不合算，但如果非開除不可，就表示這名員工不能達到公司的要求或不再適任。這會使人嚴重喪失自尊，很多悲劇由此而生。在亞瑟．米勒一九四九年寫成的《推銷員之死》一劇中，威利．洛曼被年輕的霍華開除，因爲他的工作表現不及格。雖然威利曾經是很棒的推銷員，但現在已經沒用了。他因此崩潰。「你不能自己吃了橘子就把皮扔掉，」威利怒吼：「人不是水果。」

雖然威利的困境現在看來仍很沈痛，但這樣的戲碼似乎已經過時。被裁員的人還是會感到憤怒或羞辱，但不再被認爲是失敗者。裁不裁員通常和個人能力無關。蘋果電腦前任執行長約翰．史考利（**John Scully**）以爲這只是加州特有的現象，但到了二十世紀末，他下面這句話已經適用於全美國：「如果某人在東岸被解雇，這會對他的生活造成重大傷害。但在這裡，被解雇根本沒什麼。他只是離開去幹別的事情罷了。」

舊經濟鼓勵穩定而可以預期的關係（在客戶、投資人、企業、供應商、員工和社區之間），因爲這是大規模生產的基礎，任何變化都會損害效率，所以每個參與者都期待長久的關係。但新經濟改變了這種期待。商業關係不再持久，因爲大家都認爲別人和自己一樣，一有機會就見異思遷。

當不忠誠「常態化」之後，忠誠本身便受到了質疑。在同一家公司或職位待太久反而得向人解釋。也許你只是因爲配偶或家庭才留在原地，也可能是你自己有問題——沒有選擇（沒有其他工作向你招手）或缺乏企圖心。讓同一批管理者和員工待太久的企業或組織也會招來類似的質疑。也許這家公司只是作風比較老派，但也可能是更深層的問題——過於僵化而跟不上時代、太死板、太守舊、缺乏新血和新視野等等。如果一個社區數十年都住著同一批人，也會被認爲對外過度隔絕、明顯缺乏活力。

對誰忠誠？

在未來，忠誠的對象會變得很不確定。公司、大學和很多機構的定義已經越來越模糊。所有機構都在經歷扁平化，成爲一群創業團體、臨時計畫、電子社群和聯盟的網絡，並與各種入口品牌做連結。在新興的網路世界中，談組織忠誠度是很奇怪的事，因爲組織的界線已不再清楚。

舊式的組織很好辨認，它們都有金字塔型的結構，最上層是執行長，中層是一些經理人員，下層則是一大群工作性質簡單的員工。你屬不屬於這個組織的定義很清楚。但現在已用不著官僚體系來協調一大批人做事，因爲可以透過網路自我協調。一群設計師、供應商、行銷商、財務專家、承包商和運貨商可以針對一項任務自組一個運作單位；因應不同的任務，隨時會產生不同的組合。所以，過不了幾年，「公司」的最佳定義會變成：誰有權取得什麼資料，在哪一段時間得到哪部分收入。

從下面這個例子可以看到未來的輪廓。單軌公司（Monorail Corporation）沒有任何工廠、倉庫或有形資產，只在亞特蘭大租了一層辦公室。單軌公司和一些設計師簽約，設計出一種剛好符合聯邦快遞的標準運貨箱大小的個人電腦。消費者想訂這種電腦，只要打一八〇〇免費電話到聯邦快遞的後勤服務中心，外包廠商就會收到訂單，用來自世界各地的零件進行組裝。聯邦快遞會把電腦運送給消費者，並把發票傳給亞特蘭大的太陽信託銀行。這家銀行的應收帳款部門負責處理票據和信用審查，把應得的利潤匯給各公司，並承擔向消費者收帳的成本和風險。如果消費者有需要，可以隨時打電話到單軌公司的一八〇〇客服中心，而眞正負責這個中心的是塞克斯（Sykes），一家位於佛羅里達的客服外包公司。因爲有這個網絡，單軌公司才能提供最便宜的個人電腦。它要增加銷售額非常容易，只要把供應網絡擴大就行了。

單軌公司其實就是一個好點子、一些在亞特蘭大的員工和幾張外包契約的集合。當你讀到這本書時，它可能已經不存在了。單軌公司會對任何人忠誠嗎？誰又會對單軌公司忠誠呢？

對誰負責?

透過網路，每個人的責任和酬勞可以用一堆臨時合約來決定。但這些合約無法囊括所有問題。比方說，一九九九年八月七日起大約十天的時間裡，有一大堆靠網路和消費者聯繫的小公司的網路服務被中斷——這眞是一種垂死的經驗。誰該負責?讓我們追溯一下。這些公司的網路供應商依賴位於華盛頓的 DataXchange，後者負責大批購買網路入口再零售出去。而 DataXchange 主要的網路入口購自 MCI WorldCom。八月七日那天，MCI WorldCom 的高速網路當機了。爲什麼呢?因爲 MCI WorldCom 用的是朗訊科技（Lucent Technologies，過去是AT&T的研發部）的軟體，這套軟體在八月七日那天出現一個小毛病，而 MCI WorldCom 的工程師不會修。爲什麼不會修?因爲這套軟體是幾年前由瀑布通訊（Cascade Communications）的工程師研發出來的。瀑布通訊後來被 Ascent 通訊買下，而朗訊則在一九九九年以兩百億美元買下 Ascent 通訊和這套軟體。這就是這套軟體會出現在朗訊的系統內，並出現在 MCI WorldCom 的資料網的原因。

把這些公司的名字都去掉，你就能看到背後的眞相。我們可以看到一群互相簽約購買特定服務的人。幾年前寫出原版軟體的人現在已經在做別的案子。問題在於，這套軟體只有他們最清楚，也只有他們能立刻把毛病解決。這套軟體從瀑布通訊轉給Ascent通訊再轉給朗訊，但原始設計者沒有跟著一起走。他們的智慧是其中關鍵，卻沒有跟著智慧財產一起轉手。

如果集合企業各元素的「黏膠」不過是一堆臨時性的合約，誰該負責讓整個系統按計畫運作？許多小公司因爲沒人會修軟體而損失金錢固然是個問題，將責任外包所產生的問題可能更嚴重。印尼的小公司雇用童工來織布，童工得在不衛生的環境中每週工作六天、每天十小時。印尼公司把布賣給台灣的成衣廠，這些成衣廠將產品賣給加州的批發商，加州的批發商再供應給威名百貨（Wal-Mart）。威名百貨該爲童工負責嗎？如果威名百貨根本一無所知，它爲什麼要負責？但如果有很多美國人認爲童工不道德，它又爲什麼不該負責？如果有一家飛機保養公司的員工沒有把氧氣設備裝好，造成一架飛機機艙起火而墜落在佛羅里達，而這家公司又不存在了，誰該負起道德上的責任？❸

商業上的忠誠並沒有完全消失。也許你仍然覺得要對老闆忠誠，老闆也覺得應該這麼對你，但是大趨勢和這種情感背道而馳。原因很清楚：由於每個消費者和投資者越來越容易改變選擇，供應鍊中的每一分子也得越來越善變，才能提供更快、更便宜和更好的產品和服務。像你我這樣的消費者和投資者隨時隨地都在利用新科技（網路、電子商務和新奇的軟體）的便利性。在這種壓力下，企業不得不轉型爲一群臨時聚合的人。

結果造成了無窮的創新和前所未有的活力。但這種經濟關係非常短暫，責任歸屬也非常模糊，連明天誰幫誰做事都不知道。與我這一代相比，我學生的世界觀更加朝生暮死。他們不會想在哪個職位待上好幾年。由於他們不期待公司對他們忠誠，也不期待別人的忠誠，所以他們也不想回報忠誠。對他們來說，商業關係是不斷流動的。他們認爲只有自己能對自己負責，不會把自己託付給任何人。

註釋

❶從一九五〇年開始，美國普查局一直以「主要職業群」來劃分工作種類，例如「管理和專業工作」、「技術、銷售和行政支援」、「服務業」、「操作、裝配和勞工」、「運輸和貨物移送」。但是這些分類在新經濟中的意義漸漸消失。在《國家的職責》一書中，我將工作重新分類爲「符號分析人員」、「例行性生產員工」、「直接客服人員」，還有政府雇員、農人、礦工和其他自然資源採收者。我估計，在二十一世紀初的工作者中，收入最高的二五%是上一章所說的「創意工作者」，二〇%是例行性生產員工，三〇%是直接客服人員，剩下的是政府雇員和其他勞工。

❷二十世紀中期企業主管的優渥空間已經被討論幾十年了。律師 Adolf A. Berle 和經濟學教授 Gardiner C. Means 在一九三二年寫過一本很有影響力的書《現代企業和私有財產》（*The Modern Corporation and Private Property*），揭露高階主管的管理方法是「依照自己的喜好……將部分資金挪爲己用」。但 Berle 和 Means 不認爲加強股東的力量可以克服這種少數統治。他們建議加強那些受企業影響的團體的力量。「只有社區的利益才能強過那些當權派，」他們寫道：「社區必須大聲而明確地提出要求。」企業主管應該變成「純粹中立的技術官僚，在各種團體的要求中求取平衡，按照公共政策而不是個人貪欲來分配利潤」。

❸ ValuJet 航空公司這起空難的法律責任已經確定，但沒有實質效果。一九九九年，聯邦法院判處已經停止營業的 SabreTech 公司九項與不當處理氧氣罐有關的重罪，但 SabreTech 以前的機工和維修督導都被判無罪。判決後，SabreTech 的律師說這家公司只剩一個空殼，沒有任何資產。而 ValuJet 航空公司已在一九九七年與另一家航空公司合併。

5 現行雇佣型態的終結

工作有兩種：第一種，移動地表上各物體的位置；第二種，叫別人幫你移動。

——羅素，《對悠閒的禮讚及其他論文集》

重複一下前文的邏輯：科技增加了得到絕佳交易的機會。消費者和投資者越來越容易改變選擇。要在競爭激烈的新時代生存，賣方不但要持續創新，還要比對手更快。最好的方法是以電腦高手和心理醫生爲核心，用小企業的型態與有信譽的品牌做連結。企業必須不斷降低成本，凡是可以租的就不要買，還要尋找成本最低的供應商，壓低例行性生產員工的薪水，將階層組織扁平化，成爲能夠快速轉換的契約關係網。

但不是所有地方都如此，至少現在還不是。大多數人都還在組織中爲組織工作。然而新經濟的邏輯正在改變雇佣關係。二十世紀所謂的「員工」已經越來越少，以後還會更少。其他國家的人也和美國人一樣在脫離穩定的雇佣關係。

你和你的下一代將面臨什麼樣的未來？你不會完全是在公開市場上出售服務給最高出價者的自由工作者，也不完全屬於哪一個組織。比較可能的情況是，你會成爲某個小企業的一員，公司利潤每年每月的變化相當大，薪水要看你的貢獻而定。你也可能成爲某個專業服務公司的一份子，幫客戶做案子，抽取一部分佣金。你也可能被某家人力出租公司在某段時間派去接某個案子，再按比例抽成。矽谷就出現了出租頂尖工程師的公司，每小時工資兩百美元以上。不管你和買你服務的人到底是哪一種關係，介於中間的組織都在稀薄化。就算你名義上是某個組織的全職員工，但實際上你是在借用該組織的品牌來出售服務。你的收入由客戶願意出多少錢買你的服務而定，也由品牌的吸引力而定。

從某種意義來說，我們正在回到經濟史上人與人簽約去做特定工作的時代。「固定」的工作是比較晚近的概念，也是一個壽命很短的概念。這個概念出現於大規模生產的工業時代，在美國和其他工業國家盛行了一個半世紀，現在即將走上終點。

雇佣制度的起源

讓我們簡短回顧一下歷史。在十九世紀中大規模生產出現之前，很少人是以固定工資被長期雇用。大部分工作不是在家裡、出租農場和家庭小店鋪裡做，就是由工匠和小商販來完成。在美國老南方，從事大規模種植和採收菸草與稻米的人，大多是白人長工和黑奴。這些人的收入都不「固定」，要看氣候、蟲害、疫病和戰爭等因素而定。這些工作都需要大量勞力，也沒有工作時間和家庭時間、有償勞動和無償勞動的分別。女人、小孩和男人一起工作，家庭生產是最主要的經濟型態。世界上大多數人仍處於這種狀態。

當工業化生產剛剛在美國出現時，長期為某人工作被認為是對個人自由的威脅和可恥的事。「傑克遜民主黨」的政治作家布朗森（Orestes Brownson）的看法堪稱典型，他在一八四〇年的一本小冊子《勞工階級》（*The Laboring Classes*）中寫道：「工資是魔鬼設計給善心人士的伎倆，讓這些人可以保有奴隸制度的好處，又不必承擔奴隸主的成本、麻煩和道德非難。」工資勞動只有作為走向經濟獨立的過渡階段才能在道德上被接受；很多北方人認為這不同於奴役，只是一種暫時狀態。林肯就喜歡以自己為例。他從鐵道工人幹起，然後學習法律而走向獨立自主。「他們堅持奴隸過得比北方的自由人好得多，」林肯譏嘲擁護奴隸制度的南方人：「這些人對北方工人的看法眞是大錯特錯！他們以爲這些人永遠都是工人，但這種階級根本不存在。去年爲別人工作的人，今年爲自己工作，明年就可以雇用別人來工作。」

當時美國新英格蘭和中北部各州有很多小工廠，工廠主直接和工匠簽約，根據他們製造的東西支付酬勞。工匠們對製造過程的知識和掌控使他們有很大的議價權。但隨著美國內戰後大規模生產的普及，工廠主開始用機器取代工匠，以固定工資雇用非技術勞工來操作機器，其中很多是新移民。爲了反制，工匠們成立美國第一個大型工會「勞工騎士團」，宗旨是「廢除薪資制度」。

第一次重大衝突發生在一八九二年，地點是匹茲堡附近的卡內基農場。工匠們因爲拒絕接受低薪而被堵在工廠外面，他們也不讓非技術勞工進入工廠。僵局持續了幾個月，直到賓州出動國民兵保護非工會勞工進入工廠並讓工會投降爲止。接下來幾年中，州政府和聯邦政府一直站在資方這邊。一八九四年，鐵路工人抗議普爾曼汽車公司對工人的待遇而罷工，使芝加哥和大部分中西部地區爲之癱瘓。聯邦法院很快下令罷工違法，克里夫蘭（Grover Cleveland）總統在主要鐵路交叉點部署聯邦部隊，芝加哥宣布戒嚴，罷工領袖則被送入監牢。

「勞工騎士團」以潰敗收場，薪資制度成爲常態。從一八七〇到一九一〇年，美國人口增加了一倍，薪資勞工人數則增加了三倍以上，從三百五十萬人上升到一千四百二十萬人。每間工廠的員工數也大幅增加。十九世紀中新英格蘭的工廠只有幾百名員工，而福特汽車在一九一五年設立的第一間工廠就有一萬五千名員工。

煤礦工、雪茄工、印刷工、鋼鐵工和裁縫工等等聯合起來創立了新的工會——「美國勞工聯盟」（AFL），並接受了薪資制度。美國勞工聯盟第一任主席甘普斯（Samuel Gompers）表示：「我們是在薪資制度下運作，只要這個制度還存在，我們的目標就是要不斷提高勞工的收入。」對甘普斯來說，產業集中是「現代工業體系不可避免的合理現象」。

威爾遜總統這種進步派還是懷念舊時代——「每個人都是老闆而不是員工，不是看遠方的城市要他們生產什麼，而是看附近鄰居需要什麼」——但他們也不得不接受新經濟所必需的薪資勞動制度。進步派關注的是如何使薪資制度和美國的個人主義與自由的價值觀相調和，同時不讓勞工吃虧。方法是對企業設限，以法律規定最高工時、最低工資、傷害賠償和安全與衛生的基本條件。

這些限制是經過激烈抗爭才得來的。有些人認爲薪資勞動也是一種自由權。在一九〇五年〈羅克勒控告紐約州〉（Lochner v. New York）的訴訟案中，最高法院認爲紐約州對麵包工人每天最多工作十小時的規定是「對個人權利的非法侵害，讓雇主和受雇者無法根據自己的最佳利益去商議勞動條件」，紐約州沒有權利「去限制一個有智慧的成人的工作時數」。僅僅三年之後，在〈穆勒控告俄勒岡州〉（Muller v. Oregon）一案中，法院卻做出完全不同的判決。法院支持俄勒岡州限制女性每天只能工作十小時，因為「健康的母親是養育活潑子嗣的必要條件，為了保持民族的強健和活力，關心女性的身體狀況是符合公眾利益的」。當然，實際上在大規模生產的新體系中，不論男工或女工都沒有談條件的自由。

經過長期的法律和政治上的奮鬥，勞工保護制度終於適用於全美國，包括集體協議制度。後來又多了社會安全和失業保險制度，以解決勞工在不景氣時失業、主持生計者去世、永久性傷殘和沒錢養老等問題。和其他工業國家相比，美國社會保險制度的特色是只適用於全職勞工，而這正好是不到一百年前最被排斥的事情。只有現任或曾任全職工作的人及其配偶才能享有津貼，完全排除臨時工、兼職工、獨力承包者、自營作業者和長期失業者。最早的福利制度也只是為工人的遺孀所設計的。根據小羅斯福總統的經濟安全委員會的報告，「未成年子女補助制度」的目的是讓有子女的寡婦不必擔任「賺錢養家的角色」，這樣她們才不會讓子女「陷入社會的不幸」，並且「更積極地將子女教養成對社會有貢獻的公民」。換句話說，在新工業經濟中，所有男人都被假設為薪資勞工，帶小孩的女人則不用工作。

二十世紀的美國社會保險制度最值得一提、也最被忽略的一點，就是這個制度是由公司提供健保和年金，並由政府給予稅率減免。很多人以爲這些津貼是私人而非公家提供的，但這種制度起源於一九四〇年代，而且是出於工會的要求，因爲這樣一來，勞工就不用爲公司提供的健保繳稅，而公司提供的年金等到退休以後再繳稅就行了。這些津貼等於是政府的直接支出，因爲政府預算短缺了這筆稅收。短缺數額不斷攀升，在一九八〇年代中達到最高峰時，比聯邦政府救濟貧民的支出還要多。勞工健保的稅收補助額大約等於健保給貧民的直接醫療給付額，年金稅收減免所失去的稅收則爲對貧民現金補助的兩倍。

雇佣的規則

這種轉型在二十世紀中宣告完成。美國勞工有三分之一以上加入工會，由勞資雙方集體協商，設定薪資和津貼水準。勞方、資方和政府合力將大批藍領勞工帶入中產階級。中產階級也因白領員工的增加而穩固。白領「組織人」（借用社會學者懷特〔**William H. Whyte, Jr.**〕的暢銷書書名）的職業生涯和藍領勞工一樣井然有序且可以預期。由於這種興起於二十世紀中期的雇佣制度已經普及到被視爲理所當然，所以當它跟二十一世紀的新工作型態脫節時，我們的思維模式還被隱含其中的規則所左右。這些規則包括：

穩定的工作和逐漸增加的薪水。一般員工一輩子都待在同一家公司。不僅藍領勞工如此，中層主管通常也是在大學畢業後就在公司待到退休。根據一九五二年的調查，美國有三分之二的高層主管待在同一家公司超過二十年以上。懷特訪談的年輕白領員工都接受「忠於公司，公司就忠於你」的看法。懷特在《組織人》中寫道：「一般年輕人都認爲必須維持和組織之間的關係。」相互的忠誠是可以信賴的，因爲大家都認爲「個人的目標和組織的目標可以完全一致」。

薪水高低主要是看年資而不是個人努力程度。年資制度被定在工會合約中，白領員工得一步一步往上爬。這種可預期性不但有助於大企業做生產規劃，也有助於家庭做生涯規劃。年輕人起薪不高，家庭負擔一般也不重。薪資水準會隨著經驗和年資逐步爬升，讓員工可以安心付房貸和車貸，也可以開始養小孩。等到六十五歲年資滿四十年之後，一般全職員工就可以領到退休金錶或胸章，此後固定領取數目不大的退休金，其他的就要靠社會安全制度和個人存款。退休者可以和老友們再玩個五、六年橋牌，等孫子們來探望，最後懷著對職業生涯的滿足而終。

有限的付出。工廠勞動會對肌肉和關節造成傷害，但從二十世紀中開始，大多數工作已不再那麼危險。藍領勞工的勞動量被工作守則和工作分類限制在一定範圍以內。二十世紀中的白領員工是很認眞工作，但不會完全投入。懷特觀察道：「年輕下屬的熱心程度跟有工作狂的上司們相比差遠了。」員工賣給公司的只是時間，不是靈魂。史龍・威爾森（**Sloan Wilson**）的《灰衣男子》（*The Man in the Gray Flannel Suit*）是一九五〇年代的暢銷小說，書中的英雄人物湯姆・拉斯就是當時年輕人的典型。湯姆拒絕了一份有挑戰性的工作，他向老闆解釋：「我不是那種能夠永遠不分畫夜工作的人……我不是那種可以被工作綁住的人——我無法說服自己工作是全世界最重要的事。」好心的老闆居然對這種說法表示理解。「有很多工作是不値得一個男人拚命付出的。」他和藹地說：「現在的問題是找到一個適合你的職位。」

美國法律規定，如果藍領勞工每週工作超過四十小時，時薪應爲原來的一倍半，而白領員工的工作時數和工作時間是固定的。在前雇佣制度時代，勞工的工資是依照工作量來計算，大企業的薪資則是按工作時間來計算。有人甚至認爲連人類思考時間的方式都隨著工業化而轉變，從完成某項工作所需要的「任務時間」變成以固定長度來計算的「鐘點時間」，只有把工作調到像時鐘一般規律才能達到規模經濟。管理學大師泰勒即首創「時間和動作」的研究，發現了在固定的時間間隔中做某種重複性動作最有效的方法。

效率的代價是枯燥。從這個角度來說，組織就像一台大型的機器，所有零件都必須契合，不能互相衝突。公司得按照規則運作，工廠不是請工人來思考的。亨利・福特曾經抱怨他只想雇用一雙手，可是總會雇用到一個人。

如果沒有規則可循，就會有創造新規則的規則。只有在所有行爲都可被預期的情況下，巨大的組織機器才能達到最高效率。藍領勞工要遵守職務分際和工作守則，白領員工則要遵守標準作業程序。一名中層主管向一九五〇年代美國最知名的心理分析師皮爾（Norman Vincent Peale）問道：「如果一個人對他的工作已經不滿了二十年，卻因薪水不錯而沒有膽子離職，這個人該怎麼辦？」皮爾認爲，找別的工作是不可能的，就算只是稍微改變現有的工作也太過大膽。他的建議是接受命運：「你必須認清現實，努力去瞭解現在的職位能讓你獲得什麼。」

這些因素都讓工作和工作以外的生活涇渭分明。到了二十世紀中期，工作場所和住家已經截然分離。住家通常位於郊區，勞工得通勤到辦公室或工廠。大多數藍領勞工不需要兩份薪水也過得起中產階級的生活。有些中產家庭的婦女還是會從事少數專業工作（例如當老師），窮人家的婦女則幫傭賺錢。但大多數女性都待在家裡洗衣燒飯，全心照顧小孩，所以才會溺愛出戰後嬰兒潮這樣自我放縱的一代。

雖然這種分工模式被廣泛接受，但也出現一些新問題。「剛開始，她只是對丈夫的工作有點不滿，」一份推銷員的業界雜誌嚴肅警告：「遲早，她會公開表示嫉妒。」這個時候就很危險了，因爲「除非控制得宜，嫉妒的女人會嚴重損害一名推銷員對老闆的價值」。解決方法是鼓勵家庭主婦去參加母姐會或學校的董事會，讓她們覺得自己「有價值」。「如果先生在公司爬得太快」也會發生問題，因為「這會讓夫妻產生距離。當先生周遊四方而見聞廣博，和成功的前輩們耳濡目染，太太的品味卻因只會帶小孩而停在原點」。解決之道是鼓勵太太去當社區義工，在那裡得到滿足。

薪資壓縮和中產階級的擴張。大型組織會限制高層主管的薪資，並提高低層員工的薪水。因為工會會防止薪水過低，公司也沒必要給高層主管太多酬勞，反正他們都會乖乖往上爬，沒有別家公司會來挖角。這種限制也符合社會價值觀：大家都認為高層主管的收入比中低層員工多好幾十倍是不應該的。

除了偶爾有升遷機會，大型組織對年資相同的員工都給予相同待遇。年資相同的中階主管（教授、醫院主管、大報的新聞記者和公務員）都拿一樣的薪水。簡單地說，官僚組織決定了一個人的地位和收入。一本一九五〇年代的社會學教科書就說：「企業和政府單位的結構越來越像。」員工的薪水「要看進用與升遷規定」。這就難怪「所得分配有貧富差距減少的趨勢。老闆的所得比員工多不了多少，專業人員也不比一般作業人員和勞工好到哪裡去」。

在二十世紀中期，大約有一半美國人很滿意自己的中產階級生活（當時中產階級的定義是家庭稅後所得在四千到七千五百美元之間，以一九五三年的幣值為單位）。值得注意的是，多數中產家庭的一家之主不是專業人員或公司主管，而是技術或半技術工廠勞工、辦公人員、銷售員，以及批發商和零售商等為大規模生產負責物流的人。大部分人因工作而享有健保和退休金。

成功等於在社區受到尊重，等於體面的生活和在公司裡拾級而上，等於住在郊區和有一個安穩的家庭，等於被歡迎和被羨慕。對多數美國人來說，這些希望都是可以實現的。

不過美國在一九五〇年代的社會差距仍然很大。貧民幾乎完全不受照顧，社會歧視也很嚴重。黑人明顯被貶為二等公民，只能做次等工作。很少婦女敢想像老師和護士以外的專業工作。要打破這些藩籬還需要幾十年的時間。

後雇佣制度時代

在二十一世紀初，前述雇佣制度所隱含的規則幾已消失殆盡。前幾章所說的新邏輯已經證明，這些規則對目前的工作型態越來越沒有意義。民營企業員工加入工會的不到十分之一，白領「組織人」已是瀕臨滅絕的生物。雖然大多數人仍靠薪資過活，但舊式的雇佣契約正在快速崩解。這就是說：

不再有穩定的工作。除了少數人之外（如寫書談就業問題的專職教授），穩定的工作（包含一份可以預期的薪水）已經消失。由於消費者面對的選擇和改變選擇的能力都增加了，任何組織都無法再保證員工有穩固的薪水。要在多變的環境中保持競爭力，組織就得把所有的固定成本（人事費用是最大的固定成本）轉換爲能依據消費者選擇而變化的變動成本。收入因此變得越來越難預料。雖然我們還沒有充分資料證明工作的不穩定性，但這主要是定義的問題。有些工作雖然被歸類爲「長期」或「全職」的工作，但是每個月或每年能領到的薪水都不同，已不再是靠得住的飯碗。

不穩定表現在多方面。現在幾乎所有人都在賺「軟錢」，收入依不同時期的合約、補助或銷售量而不同。有關短期工、兼職工、自由工作者、網路工作者和獨立包商的新浪潮已受到廣泛討論，這些人占美國勞動人口的比例也有不同的估計，從十分之一到三分之一都有❶。但對自己每年甚至每個月的收入感到不確定的人口數實已超出任何人的想像。

全職員工的收入越來越依賴銷售佣金、個人紅利、團隊紅利、利潤分成、收費時數、股票選擇權和其他業績指標，這些收入來源漲得快也跌得快。越來越多人是在公司裡接不同的案子和客戶。如果沒有案子可接或沒有客戶，他們等於「非正式地失業」，收入跟著下降；也許名義上是全職員工，但實際上已經不是。

大多數新工作都是由二十五人以下的小企業所創造的，但這種企業的全職員工的收入幾乎不可預期，因為小企業倒閉的速度比大企業快得多。在小企業工作的平均週期只有四．四年，一千人以上的大企業則為八．八年。此外，許多大企業發現授權外包比聘用全職員工更划算，不僅可以轉嫁市場風險，還可以刺激工作動力。在一九七九年之前，出租計程車牌照在紐約市是非法行為。計程車司機受雇於大車行，每天對拆車資，車行也提供健保和退休金。後來，車行發現把牌照出租給司機的利潤更高，於是推動修法。到了一九九〇年代末，大部分計程車司機都成了個體戶，以每十二個鐘頭九十到一百三十五美元的價格向車行租車，沒有健保或退休金。如果司機開得快，也許會比以前賺得更多，但也可能更少。這或許就是計程車肇事率升高的原因。

津貼也和收入一樣不穩定。在一九八〇年，七〇%以上的員工可以從公司領到醫療津貼，但到了一九九〇年代末，這個比例降到六〇%。就算還有給付的公司也開始要求員工負擔更高的自付額和保費。

在非營利機構工作也不見得比較安全。以前會定期出資的贊助者、基金會和公家單位，現在和消費者與投資者一樣反覆無常。大學教職員的薪水要靠校外的補助和研究經費。當經費來源不穩定，大學就得多雇用兼職的教員，其工作和薪水隨經費多寡而變動。一九七〇年只有二二%的大學教員是兼職的，到了一九九〇年代末，這個比例已高於四〇%，而且還不包括越來越多的研究生兼職講師。整體而言，周遊列校型的大學教師大概占一半以上，他們像季節性的農場工人一樣在學術界流動。

永遠不能停下腳步。員工的收入越來越不看職位和年資，而看他對消費者有多少價值。一個二十三歲的電腦高手的收入比高他三個職等的資深經理多好幾倍，這種事已經很平常。在美國競爭最激烈的產業中（他們是新時代的先鋒），人才的工作壽命越來越短。二華爾街、矽谷和好萊塢的寵兒們越來越像職業運動員，十到十五年內就會失去競爭力。二十出頭的軟體工程師被人搶破頭，但一過四十歲就開始走下坡。一項調查顯示，畢業六年後還在軟體界工作的電腦科系學生有六〇%，畢業二十年後只剩一九%。這就是爲什麼高起薪和高紅利還不足以吸引更多大學生進入軟體業，因爲他們知道淘汰速度實在太快。

雖然大多數上了年紀的人都不肯承認，但創意和年紀成反比早已是鐵律。數學領域的突破都出自年輕的數學天才，偉大的樂曲一般都出自年輕的作曲家，偉大的科學研究出自年輕的科學家，偉大的詩作也出自年輕的詩人。老年人缺乏創意，必須用經驗、智慧和判斷力來彌補。雖然這些特質仍然有價值，但不能和創意相比。所以中高齡工作者的收入陷入瓶頸甚至下降，中年失業者也很難找到新工作，儘管整體失業率很低。

現在的工作必須不斷付出，永遠不能歇下腳步。家庭不再是下班後的天堂，兩者的界線已經逐漸消失。不管正式上班時間爲何，許多人都得二十四小時待命。工作場所和家庭的地理分界也模糊了，大約有三分之一的工作者每天要花一部分時間在家裡工作。不管人在哪裡，都能用手機、呼叫器、電子郵件和傳眞與消費者和客戶保持聯繫。也有人每天坐飛機，從一個案子或客戶飛到下一個。有些人的旅行次數太頻繁，沒有固定辦公室，只在各地設一些臨時辦公桌。

每天八小時、每週四十小時的工作制已經過時了。工作時間正在無限延伸。新經濟每週七天、每天二十四小時都在運作，原因之一是夫妻或男女朋友都有工作，下班以後才有空吃飯逛街，而這時得有人爲他們服務。另一個原因是日益全球化的市場沒有白天黑夜之分，跨國公司、全球股票市場和客戶都有二十四小時監控業務的需要。

貧富差距擴大。企業不再壓縮員工的薪水，而是拚命想辦法用高薪、紅利、股票選擇權、年終獎金、健身中心或水療中心會員卡來吸引和留住人才，同時削減例行性生產員工的薪水和津貼。非營利機構也有同樣的趨勢，雖然沒有這麼極端。在同一所學校，財金系教授的收入要比英國文學系教授高得多。大型基金會執行長的所得是基層員工的好幾倍。

隨著企業轉型爲契約關係網，收入差距也越來越大。員工的身價由市場決定，創意人才的需求遠高於供給，例行性生產工作者則被電腦或其他國家的廉價勞工所取代。例行性生產員工當然可以想辦法學習成爲電腦高手和心理醫生，但這種方式無法滿足市場需求，也趕不上廉價替代品的成長速度。

雖然貧富差距擴大的資料存有許多爭議，但這個趨勢是無可置疑的。根據美國普查局「當期人口調查」的資料❷，在一九九〇年代末，家庭收入的差距達到一九二〇年代以來的最高峰。從四〇年代末到八〇年代，所得最高五分之一的家庭所得占全部家庭所得的比例一直穩定在四〇%左右，中間五分之三的家庭占五四%，其餘就是最窮的五分之一的家庭。從八〇年代初開始，這個差距逐漸擴大，在九〇年代更甚。到了二十世紀末，所得最高五分之一的家庭所得幾乎占全部家庭所得的一半，中間五分之三家庭的比例掉到四八・六%，最窮五分之一的比例也縮水。即使在所得最高五分之一的家庭中，財富差距也在擴大。二次大戰結束以後，所得最高百分之五的比例一直維持在一五%左右，這個比例從八〇年代開始升高，到二十世紀末已高達二五%。而收入最高一%的比例也從一九九〇年的一一%升高到一九九九年的一八%。❸

從九〇年代初開始，收入最高者的所得增長速度是中間收入者的兩倍。雖然景氣繁榮了十年，中間收入者的所得卻幾乎沒有增加。手上有股票的人越來越多，但股市榮景的好處大部分進了收入最高者的口袋。根據聯準會的資料計算，這十年來的股市收益有八五%被最富有的一〇%的家庭拿走，而最富有的一%的家庭拿走了四〇%。津貼差距擴大也伴隨著所得與財富差距擴大。所得最低的五分之一的勞工擁有健保的比例下降得最快，從一九八〇年的四一%下降到九〇年代末的三二%。公司提供的退休金也在變化，所得前五%（年收入超過十萬美元）的家庭拿走了四分之一的退休金稅收津貼。

這些變化還帶來更嚴重的後果。富有階級和中產階級各自形成一個世界，眼裡都看不到窮人。在二十世紀末，美國最富有的一%的家庭（約有兩百七十萬人）的稅後所得等於最貧窮的一億人的所得總和。大部分美國都爲他們所有（比爾·蓋茲一個人的身價就等於底層五〇%的美國人的財富總和）。

有人認爲貧富差距沒有表面上嚴重。他們指出，低收入勞工的實質所得已經從一九九六年開始止跌回升。❹這是事實，但實質所得的回升幾乎完全是因爲失業率特別低，使每個低收入勞工都可以輕鬆找到一兩份以上的工作。但我們不能指望經濟狀況永遠這麼好，景氣循環已經永遠消失的說法是値得懷疑的。

也有人認爲貧富差距只是靜態指標，沒有考量到動態的階級流動。這也是事實，但許多研究顯示，大部分出身底層的人一輩子也翻不了身。還有人認爲與幾十年前相比，窮人的生活已經改善，至少現在有便宜的長途電話、治高血壓藥等等。

這些看法都有道理，但都無法推翻貧富差距擴大的事實。爲了抑制景氣循環，薪資和津貼的差距被拉大了：高層員工賺得比以前更多，低層員工賺得比以前少，中層員工的收入差距也比以前大。其他先進國家也有貧富差距擴大的趨勢，只是沒有美國顯著。

舊式官僚組織和薪資等級制度的消失正在分裂美國。工作者的收入越來越由他們的身價所決定。在狂飆的一九九〇年代，矽谷前一百大主管的年薪跳了四倍，超過七百萬美元（假設他們每週工作五十四小時，則時薪約爲兩千八百美元），若加上配股還會更高。他們爲什麼這麼値錢？因爲消費者需要他們的創新，投資者也信賴他們，儘管許多企業能否獲利還是未知數。在同一時期，收入屬於底層四分之一的矽谷員工（如在家組裝電腦或幫軟體工程師帶小孩）的所得下降了二〇％，時薪只有九美元。他們爲什麼這麼不値錢？因爲他們很容易被取代。一九九九年，華盛頓州國王郡（包含西雅圖和微軟大本營——瑞德蒙）的兩萬三千五百名軟體工程師的年薪加股票選擇權平均爲二十八萬七千七百美元，而該郡其他居民的平均家庭收入只有三萬四千三百美元。爲什麼差距這麼大？因爲軟體工程師的市場需求很大，而該郡其他居民從事的零售業、餐飲業、旅館業和運輸業則否。

喜劇演員傑瑞．聖斐德的電視節目大受歡迎，一九九七至一九九八年的收入是兩千兩百萬美元。NBC電視台顯然認爲他有這個身價，因爲該節目每分鐘的廣告費高達一百萬美元。廣告商也認爲大部分人會看這個節目、也會去買廣告上的產品。這確實沒錯。NBC也越來越依賴自由工作者，包括錄音技術員、化粧師和特約記者，因爲可以付這些人比工會定的工資低得多的價錢。其他電視台也這麼做，包括正在吃掉無線電視台觀眾的有線電視台，這就讓NBC更有降低成本的必要，以取悅母公司奇異和奇異的投資者（包括我投資的教師退休基金）。和我住同一條街的洗衣工人告訴我，她在一九九九年的收入是一萬三千五百美元。雖然美國經濟一片繁榮，但殘酷的是，如果她敢多要一毛錢，洗衣店老闆就會叫她走路。說實在，我也不想爲洗衣服多花一毛錢，但我不敢對她說實話。

回到原點？

個人責任和契約自由等前工業時代的理想又再度興起，這並非偶然。當勞雇關係消失後，防止員工被雇主剝削的法律就沒有意義了。一週工作四十小時對租車來開的計程車司機沒有意義，對每天坐在電腦前面進出的股票族也沒有意義。這些人愛工作多久就工作多久，由他們自己決定。集體協議權對這些人，還有越來越多在小企業接案子的人、自認爲是自由工作者或專業工作者的人，也沒什麼意義。他們要和誰討價還價？

工作場所最低安全條件的法規並沒有保障到每天至少有部分時間在家工作的人。防止重複性勞動傷害的「人體工學」標準不能保護正在用電腦寫書的我（在二〇〇〇年一月，美國勞工部把工作場所的安全規定延伸到家庭性工作，但這實在太荒謬，所以很快就取消）。保障勞工在家庭或健康狀況危急時可以休假的「家庭與醫療休假法案」對我也沒用。如果我家有什麼緊急狀況，我會把電腦關掉衝回家。如果只是有麻煩但不危急，我只要和自己爭辯要不要暫停工作或暫停多久，不必和其他人爭辯。

在大企業設定一般薪資水準而且大多數人被長期雇用的時代，強制規定最低工資是合理的。但在後雇佣制度時代，收入應該由市場決定，也就是由技術、天分和努力程度來決定。從這個角度來看，找不到更高薪的工作是自己的錯。同樣地，在不景氣會傷害千百萬無辜勞工的時代，失業保險是合理的。但在後雇佣制度時代，找不到工作應該自我檢討。如果一個人找不到工作，可能是因爲他要的薪水太高。也許他應該少要一點、學習新技能或更有效地推銷自己。

在雇佣制度時代，由雇主提供健保和退休金是合理的。雇主應該關心員工的健康狀況，而員工則以高生產力回報。但在後雇佣制度時代，工作者在不同時期有不同的案子和職位，應該爲自己的健保和退休金負起更多責任。

然而，前雇佣制度時代和後雇佣制度時代有一些很大的差異，完全讓個人負責並不可行。在前雇佣制度時代，大部分市場是地方性的，賣方面臨的競爭很少，擁有定價的能力。如果碰到困難還可以找社區的人幫忙，像是蓋間穀倉或挖口井什麼的。就這一點來說，社區提供了最早的社會保險制度。相對地，在後雇佣制度時代，大多數工作者要面對高度變動的市場，消費者和投資者可以到全世界尋找更好的選擇。工作者越來越得自求多福。社會保險正在消逝，鄰里間的互助甚至已不可得，因爲很多人連鄰居是誰都不知道。

重述新工作型態

大約三十年前，美國經濟開始從穩定的大規模生產體系走向持續創新的體系。這種轉型不斷加速，而科技是動力來源。新的通訊、運輸、資訊科技以及最新崛起的網路和電子商務，大幅擴張了消費者的選擇性，讓所有消費者（包括企業消費者）更容易找到更好的交易。這激起了各方面的競爭，使每個賣方瘋狂追求創新、降低成本和增加價值。

在舊工業經濟時代，利潤來自於規模經濟（大量生產單一化的產品）。今天，利潤來自快速創新和吸引（與留住）客戶。過去的贏家是大型官僚企業，現在的贏家則是有彈性又富創意的小企業，以及有信譽的品牌。

美國比其他國家轉型得快，因爲美國是最先發明這些通訊、運輸和資訊科技的國家，而且美國的經濟管制比其他國家少，使資本和勞動能更快速地移動。其他國家現在也開始走美式的道路。

美國人正在享受豐碩的成果。美國經濟在過去幾十年中高速成長，變得更有活力。美國人有更多的就業機會，失業率低，而且沒有通貨膨脹的危險。商品和服務越來越多樣，使消費者更容易找到絕佳的交易機會。就物質生活（錢可以買到的東西）來說，大多數人過得比以前更好。至於低收入的美國人是不是過得比一九七〇年代更好，這個問題就大有爭議。他們現在確實買得起以前買不起的東西，但和多數美國人的購買能力相比，他們顯得更窮了。

不管你對貧富差距的看法爲何，都必須記住我們不只是消費者。大多數人要花大部分的時間去謀生，也都生活在家庭、朋友和社區的人際網絡裡。當經濟越來越具活力和創新，工作型態和所得型態也會跟著改變，並進一步影響個人生活。我們無法既享受新經濟的好處又避免這些轉變。它們是一個新銅板的兩面。

當科技讓消費者有更多選擇、更容易轉向，賣方就更沒有安全感。消費者享受到活力與創新，賣方則感到不確定，造成強者更強、弱者更弱。幾乎所有人的收入都變得不可預期。

新時代還存有其他風險。有才能和企圖心的人有很多機會，可以比舊工業時代有同樣才能和企圖心的人賺得更多。許多人也認爲現在的工作要比以前那種麻木的官僚式工作刺激得多。然而越來越多工作需要不斷的付出，每一個工作者都面臨收入大幅降低的風險。所得與貧富差距也擴大到美國一個世紀以來的最高峰。

在這種極端的情況下，成功的眞正意義是什麼？如果我們對更艱困的現實毫無抵禦能力，該如何給自己、家人和社區留下適當的空間？我們接著就來討論這些問題。

註釋

❶估計數差異很大，因爲工作的定義不同。美國勞工局勞工統計處估計這些人只占全體勞工的八至一〇%，也有其他估計高達三〇%。參見 Barry Bluestone and Stephen Rose, "Overworked and Underemployed," *The American Prospect*, March-April 1997, p. 60.

❷每年三月，美國普查局都要對美國人的所得做大規模調查，即「當期人口調查」。這項調查將所得定義得很廣，除了一般薪資，政府補助、移轉性現金給付也包括在內。但它並沒有衡量資本利得與不動產所有者的利益，所以可能對所得不均的估計過於保守。「當期人口調查」有「家庭」（兩個以上親屬同住）與「住戶」（除了家庭以外，還包括獨居者、同住但無親屬關係者）兩種資料。在各所得階層，家庭的平均所得都高於住戶的平均所得，因爲獨居者拉低了住戶的數據，住戶中的所得差距也因此比較高。

❸仔細分析這些資料可以發現，薪資與所得不均在一九八〇年代要比九〇年代嚴重。這是合理的現象，因爲強勁的經濟擴張從一九九一年起持續了整個九〇年代，使得勞動需求提高，失業率下降。處於底層的勞工因此有比較高的收入，也有很多加班的機會。要比較九〇年代的數據有點困難，因爲「當期人口調查」從一九九四年（針對一九九三年資料）起修正調查方式，使一九九三年的所得不均大幅提高。

❹否認貧富差距擴大的人也認爲「當期人口調查」忽略了賦稅和移轉性支付的效果。但即

使把賦稅和移轉性支付計算在內，貧富差距在一九八〇到一九九八年間還是有擴大。參見美國普查局的網站：www.census.gov/hhes/www/income.html, Table RDI-5。

第二部

新的生活型態

6 賣命工作的誘惑

當收入變得不穩定、工作前途難保，人們會怎麼做？答案是，人們會更勤奮工作。不但工作時間加長，也會更拚命。

根據官方統計，美國人的平均工作時數比以前多，儘管增多的幅度存有爭議，有些學者甚至不這麼認為。美國普查局每年春天都要抽樣調查五萬個家庭，問題包括去年工作幾週、每週工作幾小時等等。這種問法不是很精確，因為有些人不記得自己的工作時數，有些人則會誇大（會自以為工作時間很長，就算不是也不好意思承認）。工作時間和非工作時間的界線也很模糊：什麼時候算工作結束？儘管如此，這項調查還是現有最好的資料，因為同樣的問題每年都問一次，至少可以粗略看出工作時數是增加還是減少。

根據這項調查，工作時數正在增加。美國成年工作者平均每年要工作兩千小時，約比

二十年前多出兩週。在一九九九年，有子女的中產階級夫妻每年合計要工作三千九百一十八個小時，比一九八九年之前多出七週。❶

美國人的工作時數比以工作狂著稱的日本人還要多。日本人現在的工作時數大概和美國人在一九八〇年時相等。而根據聯合國國際勞工組織的報告，正當美國人工作時數增加時，其他先進國家的工作時數卻在減少。在一九八〇年代末之前，美國人的平均工作時數大致和歐洲人相當。到了今天，美國人要比歐洲人每年多工作三百五十小時。在法國，工作時數從一九八〇年代的一千八百一十小時降到一九九〇年代的一千六百五十六小時。❷（但隨著經濟型態向美國看齊，我們可預期歐洲人和日本人也會更賣命工作。）

美國這股趨勢的主因是女性（尤其是母親）從家庭進入職場、從兼職轉爲全職。這種大規模社會變遷的速度通常不會很快。你也許經歷過整個過程，但仍然無法體會這個變遷有多巨大。根據美國普查局的資料，在一九六九年，二十到五十五歲的母親只有三八%在工作，現在幾乎達到七〇%。❸

但我們不能把美國人工作時數的增加完全歸因於女性，因爲男性專業人士和管理者的工作時數也增加了。從一九八〇年代中期開始，在專業人士和管理者中，每週至少工作五十小時的人增加了三分之一以上。只有教育程度在高中以下者的工作時數才會減少，因爲這些人是企業在不景氣時優先裁員的對象。

是問題嗎？

工作時間增加不表示日子比以前難過。我們現在花在煮飯的時間變少了，因為有微波爐、加工食物和隨處可見的速食店；照顧小孩的方式增多了（只要你出得起錢）；購物的時間也因網路而縮短。學者們正在爭辯工作時間和做其他事的「自由」時間的精確比例。有些學者認為自由時間比以前多。馬里蘭大學社會學教授羅賓生（John Robinson）和賓州大學專做「休閒研究」的教授戈德比（Geoffrey Godbey）分析了一些人從一九六五到一九八五年間的工作日誌（這些人把每天大小事情都記下來，不管是公事還是家事）。他們發現在這二十年中，自由時間是增加的。不過這兩位學者採取的樣本數很小，而且有時間把每天大小事都記下來的人恐怕不能代表一般美國人。此外，他們也承認，至少從一九八五年起，多數美國人的自由時間開始減少。不過羅賓生和戈德比倒是提出一項洞見：在計算我們被工作綁住的程度時，必須把不支薪和支薪的工作都算在內。

事實上，若按此計算，那麼除了少數有錢人以外，似乎沒有人有過優閒的自由時間。大部分成年男女一直都在賣命工作。農場勞動是從前最累的工作，它對體力要求特別大（現在還是，至少對極少數還在做這種工作的美國人而言）。商店老闆和老闆娘的工作時間從未縮短，像我父母在紐約上州開一家小服裝店，一週六天與大多數晚上都待在店裡。至於負責家庭勞務的人，根本不知什麼叫自由時間。

作家愛麗絲・沃克（Alice Walker）如此描述她母親在二十世紀初的工作：

> 我們穿的所有衣服都是她做的，包括我哥哥的工作服。我們用的所有毛巾和床單也是她做的。夏天，她要貯存蔬菜和水果；冬夜，她要縫製足夠保暖的棉被。在「工作日」，她和我父親在田裡並肩勞動。她天沒亮就起床，一直工作到深夜。她從未有一刻能靜靜坐下想自己的事，沒有一刻不被打擾——不是被工作打擾，就是被孩子們的吵鬧打擾。

工作很多不見得是壞事。工作可以爲生活帶來秩序和意義，也可以帶來價值感和尊嚴。畢竟，勤奮工作是美國西部道德價值的核心，也是新教倫理的基石。根據這種觀點，勤奮工作是一種美德，「自由時間」則代表懶散，它即使不是罪惡，也會腐敗人心。在美國，大多數想取消社會福利的說法都是源於這種信念和價值，你可以隨處聽見。

我最近偶然看到一項專訪，受訪者是現年一百零二歲的密爾頓・加蘭，他是全美國最老的受薪員工。加蘭先生爲同一家公司工作了七十八年，從一九二〇年就進入公司。這家公司裁員的速度顯然不像多數美國公司那麼快。訪問地點是在華盛頓的全國記者俱樂部，而俱樂部所在大樓的冷藏設備正好是加蘭先生在一九二〇年代末去裝的。加蘭先生說：「我愛現在這份工作。」他指的是每週用二十小時去協調國際專利和訓練年輕員工的工作。他還說：「我的建議是，做一件工作就得做到你喜歡它爲止。但除非學到這份工作的專業所在，你是不可能喜歡的。等到你成爲專家，你就會樂在其中。」在被問到如果他三十七年前（也就是他六十五歲那年）就退休的話，他現在會在哪裡時，他毫不考慮地說：「在我的墳墓裡。」

你覺得單調的工作，別人可能很喜歡。我很討厭園藝，覺得連續拔草好幾個小時簡直是但丁描寫的地獄，給我再多錢也不幹。但我有一個愛好園藝的好友，他只要一有時間就投入，休假日也不例外。有些人認爲照顧別人是一種享受，照顧小孩、老人、病人和殘障者可以豐富生命的意義。但也有人覺得照顧人是苦差事。女人可能覺得照顧人是道德義務而不肯承認自己有多不喜歡（社會把大部分義務推給女人，不管有無薪水可拿）。

有時候，同樣一件工作會因爲環境和描述方式的不同而令人有不同的感受。心理學教授絲諾（Sophia Snow）和郎格將波士頓地區的受測者分爲兩組，要兩組人做一些同樣的事，其中一件是把蓋瑞・拉森的卡通歸類爲有趣或不有趣、屬於男性卡通或女性卡通等等。他們對其中一組說這是「遊戲」，對另一組說這是「工作」。等到做完之後再問兩組人喜不喜歡做這些事、做這些事的時候心裡在想什麼。結果被告知為「遊戲」的那一組比被告知為「工作」的那一組更喜歡做這些事，而且比較投入。

我那位製作多人連網遊戲的學生似乎眞心喜歡她的工作，而不完全是因爲可以賺很多錢。她喜歡她的同事，喜歡瘋狂又熱鬧的網路世界。所以即使她很少在晚上十點鐘以前回家，每天至少工作十二小時以上，週末除了洗衣服和買東西之外就沒時間做其他事，她都不介意。

專業女性在支薪工作上普遍能獲得比非支薪的家庭勞務更高的滿足感。社會學者霍希契德（Arlie Hochschild）曾訪問並研究某家公司一百三十位員工的行爲（她以匿名方式進行），她發現許多女性員工喜歡待在公司甚於在家，因爲她們覺得家裡的壓力比較大（情緒陰沈的青少年、嗷嗷待哺的嬰兒、骯髒的碗盤、不知感激的老公），而在工作時比在家裡更有自信、更受尊重。她們和同事的情誼比跟其他朋友的友誼更爲堅固。她們照顧屬下要比照顧自己的小孩更爲得心應手。甚至在受到創傷時（例如父母去世），她們都覺得同事比家人或教會更有用（很多男人也這麼覺得）。霍希契德的研究做得很仔細，不過她的發現恐怕不能適用於所有工作者，因爲她研究的那家公司對待員工特別好。但與支薪工作相比，非支薪的家庭勞務確實讓人感覺困難又沒有回報。

工作也可以是一種「召喚」，讓人產生一種深刻的獻身感，不管所得多少都會全心全力付出。我就遇過很多醫生把行醫視爲公益服務，是一種愛與義務的勞動。很多教師、社會工作者甚至政治人物也是如此。雖然我還沒見過擁有這種心態的投資銀行家，但這世上一定有那麼一兩位。

工作本身的吸引力要比純粹的金錢回報更讓人願意付出。「去年是我這輩子工作最勤奮的一年，我終於在幾個禮拜前把問題解開了。」愛因斯坦在鑽研一般相對論的數學基礎時寫信給表妹艾莎：「我現在非休息不可，不然我會立刻報銷。」

很多作家、藝術家、哲學家和演員發表作品，是因爲能從其中得到極大的滿足。他們都有別的正職，而這也不是什麼新的現象。十九世紀的作家兼哲學家梭羅說：「要不斷追求和發掘自己……要從骨子裡瞭解自己：啃自己的骨頭，把它埋下去再挖出來，然後再啃一遍。」當梭羅需要錢而不啃自己的骨頭時，他的職業是土地調查員。T．S．艾略特是銀行職員，以《紅字》一書永垂不朽的霍桑是海關職員，美國詩人史蒂文斯和作曲家艾伍士則是賣保險的。福克納自稱利用每天十二小時工作後的時間來寫成《出殯現形記》。梅爾維爾在一八六六到一八八五年間曾任紐約海關的稽查員，惠特曼是美國陸軍在華盛頓出納科的謄錄員，英國作家阿諾德則是督學。比美國人還瞭解美國的著名社會學者托克維爾是法國的小公務員，十七世紀大哲學家斯賓諾莎靠磨鏡片維生，愛因斯坦發表相對論時只是一個二十六歲的專利審查員，美國詩人威廉斯則是內科醫師。波札斯基（你可能沒聽過這個人，因爲他還沒成名）白天在曼哈頓區的律師事務所當助理，晚上男扮女裝主演以同性戀爲主題的音樂劇。演員和想成爲演員的人當服務生、做油漆工和開計程車算是美國的一項傳統。自從我母親不再到父親的店裡做事以後，她就開始替人作畫和寫生，賣掉的畫不但足以支付作畫的費用，還可以小賺一筆。

沒錯，是問題

那麼問題何在？問題在於：多數人的支薪工作時數都大幅增加。增加的不只是官方統計的正式上班時間。支薪工作侵入其他生活層面，壓榨人們的精神和腦力。它不但盤踞大部分清醒的時間，連睡覺時也不放過。它侵入的方式越來越令人意想不到，也越來越需索無度。

傳眞機、語音留言、電子郵件、呼叫器、手機和汽車電話的共通點是：你必須要回應，或者如果你有什麼訊息必須立刻告知某人，你得用這些東西和他聯絡。這些東西的目的就是讓我們在做其他事情時可以被人找到。它們就像小偷一樣侵入我們的生活，連一點完全私人的時間和空間都不留給我們。只要這些東西有可能響起來，我們就得留一點腦力準備回應，像哨兵一樣保持警戒。也許這些東西提高了工作效率，但我們的私人領域也因此越來越小。要不了幾年，可能每個人的袖口都會有一個連線裝置，讓某些人能在任何時間找到我們、和我們說話，甚至可以互相看到對方。我們當然有關機的自由，也可以指定誰有權找到我們，但就算一天只開機十八個小時，這種隨時待命的壓力還是令人無法想像。

通勤時間拉長了，出差的時間也增加了。根據美國旅行業協會的統計，在一九九六年，美國人的出差次數是四千兩百九十萬次，比五年前增加二一％。家庭與工作研究中心的調查也顯示，有五分之一的工作者經常出差過夜（這項調查沒有明確定義什麼叫「經常」，但可以假設是每個月至少一次）。此外，公司也經常到遠地開會。根據國際策展人協會的統計，在一九九八會計年度，公司在外過夜的活動有八十萬五千件，而一九九六年只有五十八萬件。

我們很難計算新工作型態對精神和體力的要求有多大，但絕對比過去大得多。從一九六〇年代中到一九九〇年代中，覺得自己「總是很匆忙」的美國人增加了一半以上，還有很多美國人說自己「大部分時間都賣命工作」以及「經常工作到很晚」。家裡的電腦現在成了「工作站」，人們在家裡和辦公室之間來回工作，資料不是塞在公事包，而是存在磁片和電子郵件。有四分之一的網路常用者表示，他們在家工作的時間增加了，但在辦公室的時間卻沒有減少。

市場和通訊設備都是二十四小時在開放運作，除了有什麼非做不可的事之外，已經沒有不工作的藉口。但隨著工作越來越多，允許你去做其他事的門檻也越來越高。建築師路波和羅文最近幫一對在華爾街從事外匯交易的夫妻設計他們在曼哈頓的公寓。這間公寓裝了六台螢幕，讓這對活力充沛的夫妻可以在家中任何角落二十四小時監控全球市場，包括在浴室裡。

當支薪工作侵入生活各層面，其他事情自然會受到壓縮或排擠。父母陪小孩的時間越來越少已成爲眾所關注的議題。根據白宮經濟顧問委員會的報告，美國父母每週和小孩相處的時間比三十年前少了二十二個小時（但這並不表示每個小孩受到關注的時間都損失了二十二個小時，因爲美國夫妻的子女數也減少了。實際上，在一九九八年，母親白天陪小孩的時間和一九六五年一樣多，只是睡眠時間比較少。重點是父母陪小孩的總時間減少了）。朋友、配偶、社區服務、家務，以及個人樂在其中而與金錢無關的工作，這些生活層面也通通被排擠掉。

在支薪工作的壓力下，其他事情都得嚴格控管：小孩得照著精確的時間表作息，週曆上寫滿各種事情和約會，假期須老早規劃好，還要有去不成的準備。每當你想過一下其他生活，總會有什麼事情像客廳窗外的汽車噪音一樣讓你分心（工作還沒做完、客戶還沒拜訪、案子期限要到了等等）。

如果你的工作有趣或報酬不錯，其他生活就會被工作塡滿，就像我當勞工部長時一樣。如果你還有時間和精力讀這本書，你的狀況也許不算太糟，但壓力還是不斷在增加。這是什麼原因呢？

增加家庭收入

美國人工作越來越賣命的最主要原因是要增加家庭收入。很多女性之所以在一九七〇年代末和一九八〇年代進入職場，是因爲老公的薪水不升反降。就像前面所講的，二十世紀中的大規模生產體系正在崩解。這個體系曾經把美國藍領勞工帶入中產階級，新經濟卻將美國藍領勞工踢出中產階級。在一九七九年，一個學歷在高中以下的三十歲全職男性的平均年薪是三萬兩千美元（以今日幣值衡量）。今天，同樣三十歲的人卻比以前少賺五千美元。爲了塡補這個差距，因此有更多婦女出外工作，或延長工作時間。

其他事情也跟著發生。單親父母越來越多（大部分是女性）。單親家庭在三十年前還不到一五％，現在則超過三〇％。一般認爲這種趨勢是女性進入職場的另一個原因。但眞正的因果關係可能剛好相反：離婚或不婚女性會越來越多，正是因爲她們現在有工作，而男性的經濟優勢正在喪失。如果老公或男友的收入下降又不體貼，而妳可以自己養活自己，妳幹嘛還要幫他做家務？

打鐵趁熱

補貼男性的收入並不是賣命工作的唯一原因，因為高收入者也比以前更勤奮。那還有什麼原因呢？前面已經說過，幾乎所有人的收入都變得不可預期。也許你今天能賺很多錢，但明天收入可能就減少，下禮拜更可能一毛都沒有。在工作穩定的舊經濟時代，你能夠合理預期未來會有同樣的薪水，而且會照通貨膨脹率往上調，所以你有信心貸款買車、買房子。至於現在，你不曉得未來能賺多少錢，但你還是要付車貸和房貸，還是要付一兩張甚至十張信用卡的費用，每個月還是會收到瓦斯費和水電費的帳單。你如何在不可預期的收入和可以預期的帳單之間求取平衡？

這就是新工作型態影響所有人卻很少被討論的特點：為了支付「明天」的帳單，「今天」得更拚命。由於無法預期未來的收入，只要目前工作的收入還不錯，人們就會拚命去做。人們同時也陷入負債，但債務只會讓人們有更大的壓力去把握每個稍縱即逝的機會。也就是說，打鐵必須趁熱。

藍領勞工在舊經濟時代也會想「加班」，因為他們不知道有加班機會的榮景何時會結束。但在繁榮的一九九〇年代，時薪勞工的加班時數比以往要多。有些加班是非自願的，因爲公司不想增加員工，而美國的勞動法規又允許公司要求時薪勞工加班。但有更多勞工就算公司不要求也自願加班，因爲他們知道自己的收入和工作有多麼岌岌可危。他們得趕緊加班，因爲以後可能沒有加班機會，甚至連工作都沒有了（自願加班者變多的另一個原因是已婚者越來越少，所以不像以前那麼想回家）。公司可能在任何時候「減肥」或移到海外，或和另一州的公司合併而搬家，而勞工每個月還是有帳單要付。

即使專業人員和管理者也得打鐵趁熱。美國勞工統計局的資料顯示，在這些人當中，每週工作超過五十小時的比例比一九八五年多了三分之一。他們比其他職業的人更賣命工作。將近四〇%的男性大學畢業生和二〇%的女性大學畢業生每週工作五十小時以上，這個比例是高中學歷以下者的四倍。

這是怎麼回事？前面說過，雖然很多人名義上是「全職員工」，但越來越多人的薪水取決於佣金、收費時間、績效獎金、補助款和接案數量。他們根本不知道六個月以後會賺多少，連下個月都不知道。當公司和非營利機構爲了變得更靈活而忙著把「固定」成本（例如人事費用）轉化成「變動」成本，它們就是將不可測的市場風險轉移給員工。但員工也有自己的「固定」成本，例如貸款和水電費。結果，即使是高收入的工作者都得趁有工作的時候拚命工作，以備不時之需。

我有一個朋友最近剛當爸爸。他現在在紐約一家顧問公司，每週工作七天，一天十四個小時。他說他不想這麼拚命，尤其現在又有小孩。公司裡也沒人要他工作這麼久。事實上，這家公司正在塑造「家庭之友」的形象來吸引其他年輕人才。但他說問題在於這是一家小公司，業績起伏不定。所以他認爲，只要有工作進來，就該投入全部時間。

正如我再三強調的，在新經濟中，消費者有無數選擇，可以立刻改變決定。所以如果你是炙手可熱的賣方，你得盡量利用機會。安迪・沃荷有一句名言：未來每個人都有十五分鐘的出名時間。現在看來只有三十秒。在強調吸引力（要「炫」、要「酷」、抓住時尚潮流）的新經濟中，人們有更大的壓力要拚命抓住機會，趁鐵還熱的時候拚命敲打。

跟上速度

新經濟讓人更賣命工作的第三個原因是必須跟上競爭步伐。二十世紀中期的體系以穩定和溫和的競爭爲前提，只有最小程度的創新。新經濟則以不穩定和激烈的競爭爲前提，致力於創新。現在已經沒有歇腳的餘地，因爲有太多競爭者要搶占市場。

「已經沒有所謂的上班時間，只有還醒著的時間。」Broadcast.com的共同創始人兼執行長陶德・華格納（Todd Wagner）說。他的創意是用網路播放現場節目，叫做「串流媒體」（streaming media）。但要建立品牌和吸引消費者，陶德・華格納和Broadcast.com必須加快腳步，因爲競賽還沒結束。潛在的競爭者有好幾千家，每一家都想在同一個創意上跑得比別家快。陶德・華格納每日天未亮就起床，到三更半夜才睡覺；他得和投資人開會、和技術人員溝通、和行銷與廣告人員討論、思考消費者的意見。他說：「只要你還醒著，就得盡可能做最多的事。」共同創始人兼總裁馬克・庫本（Mark Cuban）則誇張地說：「要用什麼代價才能贏過別人？代價就是『全力以赴』。你必須比別人更快建立事業。『全力以赴』是沒有止境的。不論到什麼地步，你都沒辦法說：『我們成功了。』」

陶德・華格納和馬克・庫本的專訪登在一本月刊上，這本月刊的名稱正好是新經濟的寫照：《高速企業》（*Fast Company*）。我幫《高速企業》寫過文章，也在多年前認識創辦這本雜誌的兩位主編艾倫・韋伯（Alan Webber）和比爾・泰勒（Bill Taylor）。記得在雜誌創辦之前，他們和我談過這本雜誌的構想。他們的構想很棒——鎖定快速成長的小公司的經理人、企業家以及在資訊科技業工作的年輕人。這本雜誌現在非常成功，但艾倫和比爾還是無法鬆懈。我從來沒看到這兩個人悠哉過，說他們現在成了工作狂並不過分。每個對手和潛在對手都看到艾倫和比爾的成就，都想做同樣的事業，甚至做得更好。「我太天眞了，」艾倫最近跟我喝咖啡時說：「我以爲只要把雜誌辦出來，鎖定目標，我們就可以輕鬆了。但我們現在得更拚命才能保持領先。」

供給鏈中每個環節的競爭都在加劇——每個環節中的賣方都得更賣命工作才能留住消費者。前面說過，現在的企業型態正在轉變爲不同的專業節點，透過網際網路而構成契約關係網。每一家承包商和再承包商都在想辦法打敗別人，在網路拍賣場中比品質、比價格、比交貨速度。

現在的公司常會硬標案子，譬如說，他們會保證比以前更便宜、品質更好、交貨速度更快。上個案子可能用了六十天，現在則保證四十五天內完工。但他們不是在作戲。他們不敢，因爲按承諾完工是信譽所在（這是最重要的資產）。他們也知道勝過對手是留住客戶唯一的方法——這意味著要把能力發揮到極限。他們必須不斷發明能做得更便宜、更好和更快的新方法。

這對接案的人來說表示什麼？表示他們必須更賣命工作。上一次的完工時限已經夠艱難了，這一次的難度更大。他們得設法降低成本、增加效率，得早出晚歸，越接近時限工作時間越長。就算擠出時間陪陪家人和朋友，也會想到手上的案子還沒做完。就連作夢都會夢到。

「跟上速度」的壓力還會以隱蔽的形式出現。比方說，你可能想去度假一個月，又害怕在這段時間會有客戶需要你，因爲你不想冒任何會把客戶拱手讓人的風險（對手有時候就在你隔壁的辦公室）。或者你想要縮短工作時間，但又不想讓別人覺得你不夠盡力。你害怕自己不在時會錯過重要會議，會遺漏一個改變整個競爭環境的新軟體，會失去一個新客戶。

簡單地說，問題在於你只有兩條道路可以選擇——快車道或慢車道。新經濟不提供各種中間路線。世界上當然還是有拿死薪水的人，但薪水高低越來越看工作表現和努力程度。對專業人士、管理者及各式各樣的電腦高手和心理醫生來說，跟上速度是絕對必要的。市場和科技的變化實在太快，不全力投入就跟不上。如果你選的是慢車道，你就會越來越落後，想再回到快車道可不容易。在許多快速變動的產業中，只做兼職等於是自毀前程。這就是爲什麼很少有專業人士會去度長假、減少工作時數、依法休家庭假或休假一年。只要稍一離開工作，你就可能永遠失去工作。❹

賺更多錢

過去幾十年日益擴大的貧富差距是新經濟使人更賣命工作的最後一個原因。人們在經濟狀況不如預期的時候，自然會被迫更努力工作。但這種強迫感也影響到高收入者（這些人在新經濟中賺到的錢遠多於在舊經濟時）。你可能以爲他們想要少工作一點，因爲他們的錢已經多得花不完。但你錯了。

即使先生的收入自一九七〇年代以來是上升的，許多太太還是要出去工作，而且努力的程度不遜於那些因爲先生收入下降而被迫出去工作的婦女。如果先生有大學學歷，雖然他的收入比一九七〇年增加了許多，太太還是會賣力工作；這對夫妻每年工作時數增加的總和是先生學歷不到高中的夫妻的兩倍。❺如果太太也有大學學歷，她賣命工作的可能性就更大。一九七〇年時，嫁給大學畢業男性的大學畢業女性中只有不到四〇%進入職場。到了今天，雖然先生的薪水已經高出很多，這些婦女在工作的比例卻上升到四分之三，有小孩的婦女比例更高（這就是爲什麼家庭所得的差距會比個人所得的差距擴大得快）。

爲什麼不必工作的婦女也要這麼努力？因爲她們不只在工作中找到樂趣和滿足，還比以前賺得更多。女性的工作野心大幅提高：在一九六八年，有將近四〇%的大學女生想當老師。六年之後，隨著各種高收入職業門檻對女性開放，只有一〇%的大學女生想當老師，這個比例一直持續到今天。同樣的趨勢也出現在單親家庭。高中畢業生的工作量比三十年前多一六%，大學畢業生則多二〇%。

這是有道理的。隨著所得差距拉大，高收入者可以賺到的錢比以前多出很多，所以減少工作的代價是巨大的金錢損失。假設有一份工作的收入是原來的兩倍，但每週得減少兩晚和家人相處的時間。如果你推掉這份工作，等於因這兩晚家庭時間而犧牲一大筆錢。即使你家不急需用錢，這筆錢仍可以讓你們過得更舒服、更有安全感。從損失的金錢來講，這兩晚和家人相處的時間比以前更「貴」了。

大約一年前，我兒子參加一項大型跨州賽跑。我下定決心不能錯過，畢竟我是爲了多陪孩子才離開華盛頓的職位，我沒有任何理由不去看這次比賽。然後我接到一通電話，問我是否願意到另一個城市去參與一個案子。非常不巧的是，這個案子竟然和賽跑在同一天早上開始，一天都不能延。如果我一開始沒有加入，以後就不用加入了。這個案子的酬勞高得少見。我在接到電話以前還滿心期待要去看比賽，現在卻陷入困局。我無法魚與熊掌兼得。最後我決定回絕這個案子去看比賽。我很高興能做出這種選擇，但我也希望自己眞的沒有一絲悔意。那個星期六，我心裡一直在想這場比賽有多「貴」。在接到電話以前，看比賽的代價原本是零，現在則是一大筆錢。

我的選擇已經夠難了。要是錢更多呢？這就是高收入者碰到的難題。比方說，有一個家庭想減少工作時間——先生想換個可以多陪陪小孩的工作，太太想改做兼職好參加社區服務，這會使家庭總收入從全國最高五％的階層降到最高二〇％的階層。二十年前的所得差距還沒有那麼大，這種決定會讓家庭收入減少二九％。這已經是很大的犧牲，但和今天減少四四％相比算是小巫見大巫。❻一個願意減少收入二九％的家庭不見得願意減少收入四四％，他們會認爲這種犧牲不值得。

貧富差距拉大也意味著每往上爬一層就可以多賺很多錢。這是現在的大學畢業生比從前的大學畢業生更賣命工作的原因。這也可以解釋爲什麼現在的大學新生比三十年前更注重「富有」。有一家研究機構從一九六〇年代末開始每年對大學新生抽樣調查，請他們從幾個選項中選一個自己認爲最重要的目標。選項包括「非常富有」和「發展有意義的人生哲學」。在一九六八年，選擇「非常富有」的只有四一%，但到了一九九八年，有七四%的大學新生認爲這個目標非常重要。另一方面，選「發展有意義的人生哲學」的人在一九六八年有七五%，這個比例持續下降到一九九八年，剩不到四一%。

現在的大學生不見得比以前的大學生更重視物質，因爲也有其他研究指出，自願參與社區服務的大學生人數達到歷史新高。眞正改變的是未來的經濟賭注。所得差距拉大表示每往上爬一層比以前賺更多錢，所以選擇「有意義的人生哲學」而不選「非常富有」要比以前付出更高的金錢代價。在三十年前，所得最高的一〇%的男性（我只用男性的資料，因爲女性當時的工作機會還很少）比中間所得的男性多賺七〇%。今天，所得最高一〇%的人要比中間所得的人多賺一倍，而所得最高一%的人和中間所得者的差距是原來的五倍。

同樣的道理，如果現在的大學生比以前的大學生更嚮往專業科系（如經濟系和企管系），也更會建立人脈關係以在畢業後找到好工作，這不見得是因爲他們比以前更貪婪，而是因爲他們現在的行爲對未來的收入有更大的影響。當所得差距越拉越大，往上爬一小步就差一大筆錢，往下掉也一樣。如果現在的父母更希望小孩能上好的高中或大學，這也是因爲賭注增加了。好學校是高薪工作的捷徑，而高薪工作的薪水又比中薪工作的薪水增加得快。

當我在一九六八年大學畢業時，大學教授的收入比大公司律師或投資銀行家的收入少一點，但金錢損失可以用心理報酬彌補過來。跨入第三個千禧年，大學教授和大公司律師或投資銀行家的收入已經是天差地遠。我有個學生進入紐約一家律師事務所工作，起薪加紅利遠多於我這個五十多歲教授的收入。如果我在一九六八年大學畢業時就面臨這種誘惑，我實在不確定教書的心理報酬能否彌補得了。

如果年輕的大學畢業生想在公立學校教書而不想當一流律師、投資銀行家或網路公司經理，當前的收入結構將對他造成前所未有的考驗。在一九九九年，公立學校老師的平均年薪是三萬九千三百四十七美元，這不過是華爾街那些二、三十歲年輕人的紅利零頭。

所以貧富差距擴大會使人更賣命工作，因爲低收入者要更努力才能維持普通的生活水準，而高收入者不工作的機會成本非常大。美國以外的國家也有同樣的趨勢。哈維福學院教授林達·貝爾（Linda Bell）和哈佛大學教授李查·弗里曼（Richard B. Freeman）在分析各國的資料後發現，工作賣力的程度與所得差距呈正相關。在所得差距大的國家如美國，人們每年工作的時數要多於所得差距小的國家，例如德國。

有一項調查證實了貝爾和弗里曼的發現。這項調查要不同國家的工作者從下列三個選項中選一個最能描述自己狀況的說法：（1）「我只工作到必要的程度爲止」，（2）「我很努力工作，但不會妨礙到其他生活」，（3）「就算妨礙到其他生活，我還是要把工作做到最好」。在所得差距最大的美國，選擇第三項的人超過六〇%。而在所得差距最小的德國，選擇第三項的只有三七%。英國的所得差距小於美國，但比德國大得多，選擇第三項的有五五%。

賣命工作和舒適的生活

我在序言中提過，英國經濟學家凱因斯曾在大蕭條時期預測，到了二〇三〇年，英國人會比以前更富有，工作時間會大幅減少。他只講對前面一半，後面一半則是錯的。

這不表示我們不能讓生活更簡單。我就認識很多自願簡化生活但過得很開心的人。我自己也曾逃離華盛頓每天十五小時的工作，改待在波士頓每天工作九小時，而且甘之如飴。本章的目的不是教人該怎麼做，只是要說明爲什麼在當前的經濟結構下很多人都無法做到這一點。

自願簡化生活的人只是少數。我看過好多份近幾年的民意調查，大多數美國人都表示願意爲了收入而努力工作。過去的調查結果則非如此，這似乎表示美國人的偏好改變了。研究者看到美國家庭現在的工作時間，再和過去相比，可能會認爲這只有用偏好改變才能解釋。但是美國人的言行要看他們的處境而定。只要未來的收入更不穩定、競爭更激烈、所得差距更大，美國人就會更賣命工作。但如果工作結構和報酬結構不同，他們就可能會「想」減少工作時間。

貝爾和弗里曼針對工作態度的跨國性調查顯示，只有八%的美國人寧願減少收入並減少工作時間，而有三八%的德國人、三〇%的日本人和三〇%的英國人願意這麼做。當然可能有什麼基因上的原因讓美國人成爲工作狂，也可能是因爲美國文化對工作和消費的態度使然，但這兩種假設我都不以爲然。如果你贊同本章的論點，最簡單的解釋就是工作結構和報酬結構的不同。

美國人工作更賣命不是因爲他們打從心底「想」這麼做，而是因爲直接面對多變的市場。我們可能爬到高峰，也可能跌到谷底。我們不知道可以爬得多高、跌得多低，也沒辦法預測什麼時候會有什麼機會。我們只知道要盡全力抓住所有的機會。歐洲人、亞洲人和世界各地的人都逐漸成爲同一體系的一份子，到時候他們可能也「想」更賣命工作。

一般民調沒辦法問以下這些更深入的問題，因爲它們太難回答，而答案又太難理解：我們眞的想要這樣的生活和工作嗎？我們願意爲繁榮付出多高的代價？

註釋

❶美國人每年平均工作時數將近兩千小時，其計算方式是以年度總勞動時數除以年度平均就業人數。但實際有工作經驗的人數大於平均就業人數，因此計算有工作經驗者的平均工作時數，得出的結果會比較少。但不管計算方式爲何，工時都有顯著的增加。以第一種方式計算，平均工時從一九七九年的一千九百零五小時增加到一九九九年的一千九百七十六小時，增加近兩週。以第二種方式計算，平均工時從一九七九年的一千六百三十七小時增加到一九九九年的一千七百七十六小時，增加近三週半。參見Report on the American Workforce (Washington, D.C.: U.S. Department of Labor, 1999).

❷各國衡量工時有不同的方式。美國計算的是個人主觀認爲的工作時間，很多歐洲國家則只算「正式上班時間」。但由於每個國家的計算方式並不隨時間更動，工時增加的趨勢於是非常明確。參見"Key Indicators of the Labor Market, 1999" (Geneva, Switzerland: International Labor Organization, September 1999).

❸這是一九九七年的數據，也是本書撰寫期間的最新數據。從一九六九到一九九七年，夫妻兩人都在上班的比例從三六%增加到六八%。相關資料參見"Families and the Labor Market, 1969-1999: Analyzing the'Time Crunch'," a report of the President's Council of Economic Advisers, Washington, D.C., May 1999.

❹曾有研究者針對大型金融服務公司的五百二十三位全職經理人做比較。排除性別、年齡和學歷等因素，休假者升遷的機率要比沒休假過的人低一八%，而且工作評價比較差、調薪幅度比較小。這項研究也發現，越早獲得升遷者的發展速度越快，越容易爬到重要職位。參見M. Judiesch and K. Lyness,"Left Behind? The Impact of Leaves of Absence on Managers' Career Success," *Academy of Management Journal*, vol. 42, no. 6 (1999), p. 641.

❺稅制改變也會影響高收入男性的妻子走入職場的速度。一九八〇年代的減稅方案讓有錢的家庭主婦更快投入職場。諷刺的是，最支持這個方案的正是那些喜歡讓老婆留在家裡的保守派。

❻本數據和以下各項數據都是從「當期人口調查」的資料所算出。感謝哈佛大學甘迺迪政府學院教授John D. Donahue的指教。

7 自我推銷

當收入變得不可預期，可能賺很多也可能賺很少，你就非賣命工作不可。但如何才能讓你的辛苦有所回報？你不可能再從大公司的底層慢慢往上爬，因爲大多數組織都扁平化爲聯盟和承包的網絡。誰才能提拔你？只有你自己。在新經濟中，只有自己提拔自己才能往上爬。

在二十世紀中期，自我推銷是被人排拒的，因爲它會威脅到社會穩定。「組織人」必須合群，其最大的目標（懷特寫道）是「不出風頭、不走極端……奉行中庸之道」。這種對組織的熱切服從性讓當時的社會評論者感到害怕，因爲他們才剛剛見識到集權主義的恐怖。「意識型態正大幅朝順從集體的方向轉移。」社會學者大衛・萊斯曼（David Riesman）在一九五〇年警告：「同儕團體是一切事物的衡量標準。個人對集體的要求毫無抵抗力。」

這些社會評論者認爲如何維持個體性是最主要的問題。懷特結論道：「組織所提供的心靈平靜無異於放棄自我，就算出於善意亦然。」他敦促讀者去「對抗組織」。

既然很少人能在大型組織之外獲得成功，對抗組織只是在展現英勇，不能讓你往上爬升。於是你的職業生涯從公司底層開始，「得到你該得的」。如果你夠勤快又夠諂媚，公司會逐漸讓你承擔更多責任。此後你的生涯就和公司分不開了。公司的成功就是你的成功。

但在今天，你的生涯掌握在自己手中。能不能發財要看你會不會自我推銷。自我推銷可說是全職的工作。

爲什麼人脈關係比以前更重要？

自我推銷要從正確的人脈關係開始。關係在舊經濟時代也很重要，組織階梯的逐漸消失則強化了關係的重要性，不管是要找工作還是要請人。

沒有大學文憑要自我推銷會比較困難，但就算有，也只是推銷的起步。學歷已經不像過去那麼吃香了。在一九六〇年，只有八％的美國成人有四年制大學文憑，現在則爲二五％，而且還在快速增加。三分之二的高中畢業生會繼續求學，美國新進員工中有兩年制大學以上文憑者超過一半，有四年制大學文憑者則接近三分之一。延長教育期間的趨勢符合先進經濟體的需要，因爲教育使人有發掘和追求創意的能力。但隨著高學歷者的增加，光有大學文憑已經不太夠了。

名牌大學的學歷是很有用，但沒有許多積極的家長想的那麼有用。前面已經說過，新經濟把最高的報酬給了電腦高手和心理醫生。有眼光的老闆們知道有這些特質的年輕人不一定都上名牌大學。這些特質從文憑看不出來，也無法加以量化。有一位投資銀行的徵才經理跟我說，他現在已經懶得去面試那些常春藤聯盟畢業的資優生，因爲這些人一輩子只會乖乖走別人設定好的路，只會取悅別人。他要的是有膽量挑戰制度的人，這種人才有創意和野心。他最喜歡從普通大學畢業、主修數學、平均分數B＋的運動型學生，但他也會嘗試有別種特質的學生。在新經濟中，能不能賺大錢要看動力和創意，而不是看精英保證書。

坦白說，大學教育對工作前途的影響和在課堂上學到什麼不大相干，倒是和校園人際關係比較有關。同學的父母和同學父母的朋友經常是暑假打工和第一份工作的來源，也會牽出你以後的客戶和消費者。老校友牽的線就更多了。越是名牌大學，這種人脈關係越有價値。常春藤大學的價値便不在於一流的圖書館和教授，而在於豐沛的人脈。

企業用人也越來越重視介紹信，這個道理就和消費者在浩瀚資訊中越來越重視入口品牌一樣。就算勞動市場緊俏，老闆們還是有一大堆看不完的履歷表。求職網站的電子履歷表多如滿天星，從剛找工作的年輕人到想換工作的人都有。我有幾個學生已經精通填寫電子履歷表的竅門，他們知道哪些關鍵詞是每套履歷表管理系統一定會搜尋到的。他們還用傳眞把履歷表大量散發給幾千家公司，並用網路資料庫搜尋更多公司的地址。一個學生驕傲地告訴我，她已經送出五千張「個人化」的履歷表，每一張都依目標公司的不同而有不同的著重點。

但現在要請人的大部分是小企業，他們根本不可能一一處理「個人化」的電子履歷表，他們要找的特質也不是可以簡單敘述的關鍵詞。這些企業在用人上不能犯太多錯誤，因爲他們知道「人力資本」是最重要的資產，而且他們要的人並不多。所以他們越來越依賴朋友和同事的介紹。

我的信箱裡每天都有一大堆垃圾信函。只有親筆寫給我的信我才會打開（還有帳單和支票）。我的電子郵件信箱也一樣，信件已經多到來不及讀就必須刪掉的地步。我只讀認識的人寄來的信。我和我太太才剛在電話上弄了一種裝置，可以在接聽之前知道是誰打來的。也就是說，熟識的名字也產生很神奇的作用。在這個通訊爆炸的時代，介紹信就像認識的人寫來的信、電子郵件或打來的電話一樣，是方便的過濾器。

人脈關係的交易

最好的關係是你的介紹人直接認識雇主，這樣你和雇主的關係就只有「兩層」，有時三層、四層也行。我逛過一個叫「六層關係」的網站（sixdegrees.com）。不管你想結識誰，只要輸入你所有朋友和認識的人的名字，這套軟體就可以畫出你和他的關係網。如果你想聯絡美國聯準會主席葛林斯班（Alan Greenspan），這套軟體可以告訴你：你的朋友赫曼認識穆瑞、穆瑞認識李斯特、李斯特認識潘洛普、潘洛普認識查爾斯，而查爾斯正好和葛林斯班很熟。所以理論上你可以透過這些人找到葛林斯班接你的電話，或請他至少送你一張照片。六層關係網也許不是每次都靈，但確實以誇大的形式抓到新經濟的精髓。

所有人都在六層關係以內的概念源自耶魯大學社會心理學家米爾格蘭（Stanley Milgram）在一九六〇年代的一項實驗。米爾格蘭把一份連鎖信隨機寄給一百六十位住在內布拉斯加州奧馬哈市的人。信裡面有一個波士頓股票營業員的名字，而收信者要把信寄給他們認爲和這個營業員關係最近的人。結果，大部分的信都只轉了五、六次就寄到營業員手上。這就是「六層關係」這個名詞的來源。

不過，每個做過自我推銷的人都知道，不是所有關係都有相同的分量。在米爾格蘭的實驗中，有些人和這位營業員的關係比其他人緊密得多；有一半左右的信只轉了三次就到營業員手上。由此可知，想要自我推銷的人必須找到關係最密切的人。

幾年前，有一個叫瑪莎．魯文（Marcia Lewin）的女人利用政治關係幫她女兒找工作。瑪莎先和她的朋友華特．凱伊（Walter Kaye）聯絡，他是紐約一家保險公司的退休總經理，也是民主黨的大金主，每年捐三十萬到三十五萬美元。凱伊也是前第一夫人希拉蕊．柯林頓的朋友。在凱伊的幫忙下，瑪莎的女兒莫妮卡．魯文斯基（Monica Lewinsky）得以到白宮實習。接下來的事情就是歷史了。

大學實習工作的主要價值在於發展人脈，而專業協會、研討會、代表大會、世界經濟論壇和文藝復興週之類的活動也是如此。這種拓展關係的活動在新經濟中大量湧現。會議產業因此成爲美國發展最快的行業，每個大城市都要建一個會議中心作爲發展人脈的基地。

北京大學學生有一〇％是共產黨員，比一九九一年多了五％，而申請入黨的人數還在增加。這些勤奮向上的中國學生不是對共產主義有什麼熱情，而是想得到改革開放後許多錢途看好的職位。一名三十歲的黨員告訴《紐約時報》記者，當一個「模範勞工」不保證有好工作，你還得高人一等才行，「只有入黨才能讓你受到承認」。

政治關係

儘管政治關係嚴重影響民主制度的運作，它和別種關係其實沒什麼不同。從華府K大街上關係良好的說客的收入和龐大的選舉獻金，就可以看出政治關係的經濟價值。和別種關係一樣，隨著通訊、運輸和資訊科技的進步，接近華府權力人物的競爭也越來越激烈，這些人的辦公室湧入各類傳眞、電話、電子郵件和親自拜訪的說客。能跨越障礙和權力人物講上話的人身價非凡，他們的收入三級跳。

前國會議員可以用老關係直達天聽。根據最近的統計，有一百二十八個前國會議員現在擔任職業說客。有些人是落選之後才搞這行，但越來越多人是覺得這一行比較好賺才不當國會議員。根據一項調查，在一九九〇年代離職的國會議員中有五分之一改行當說客，比例比過去高很多。國會助理賣關係的價碼也越來越高，這可以解釋爲什麼高級助理的任期越來越短。甚至連現任和前任國會議員的親戚也在賣關係。與其把這種現象看成是華府的道德淪喪，不如看成是競爭越來越激烈的自然結果。國會議員、助理和親朋好友如果不做說客，他們可得犧牲很高的機會成本。

有錢人可以直接接近大人物。美國當代的政治腐化很少以直接賄賂的形式出現，而是用更細緻的方法。金錢的確會腐化政治，使整個體制銅臭味熏天，但如果你以爲是直接用錢交換一項政策或法案，你對腐化的瞭解就太淺了。

運作方法是這樣的：某個有錢人被總統或某國會委員會的主席邀請喝咖啡。這項邀請可能是、也可能不是這個有錢人去求來的，但不論如何，這項邀請對他的眞正價值在於，讓其他人知道他受到總統或其他華府大人物的重視。咖啡喝完以後，這個人會在辦公室大搖大擺地掛上有政治人物親筆簽名的合照，到處炫耀政治人物寫來的感謝函，還有人謠傳他下次會被請去打高爾夫球。

對這名有錢人來說，這些東西的價值是無法估計的。忽然之間，他成爲一個有關係、有影響力的人。這種名聲不管在社交上、金錢上或兩者之間的模糊地帶都非常有用。畢竟，如果他可以受到總統或國會領袖關愛，他就可以打開任何權力人物的大門。一旦披上權力的外衣，就表示從現在開始，他的客戶、消費者、供應商、貸款者、投資者和承包商都得對他禮讓三分。

政治人物可能會、也可能不會直接從這名有錢人拿到選舉獻金，這對政治人物來說不是重點。透過這名有錢人，他可以認識一大群有錢人：這個人的朋友、生意夥伴、同事、俱樂部會員等等。這群人以前可能不喜歡這名政治人物，對他沒什麼好評。但現在這個有錢人和他的關係（合照、簽名、打高爾夫球、喝咖啡）等於提供了保證。「如果我的同事喜歡和信任這個傢伙，」他們會跟自己說：「也許我應該改變看法。」這個有錢人會把他們介紹給政治人物，他們就會想，這個傢伙並不壞。接下來他們自己也會被邀請去共進早餐、晚宴和打高爾夫球。總有一天，這些新朋友不但會拿錢出來，也會要其他人這麼做。人脈關係就此建立。

在這個過程中，沒有政策、法案或投票行為受到影響。但不可避免的是，當政治人物和這些有錢人共進無數次咖啡和晚餐之後，他自己的世界觀會跟著重組。引誘是雙方面的。政治人物提供的權力網絡和他得到的金錢網絡會互相強化。這名政治人物聽到越來越多類似的建議和關切。有錢人不一定都講一樣的話，但他們的世界觀大體是相同的。這名政治人物只能間接和抽象地聽到來自社會底層的聲音，因爲底層的人不會和他喝咖啡、用晚餐，也不會和他打高爾夫球。政治人物可以從民調知道他們關心什麼，但他的態度絕不像對有錢人那樣。有錢人的網絡不會使政治人物賣掉靈魂，卻會不斷以甜美的聲音鑽進他的耳朵。

美國人經常僞善地指責某些國家奉行「密友資本主義」（**crony capitalism**），因爲這些國家雖然朝向自由市場發展，但權貴人物總是把重要的經濟利益交給朋友或屬下。但也許美國人自己也應該被譴責。人脈關係在美國越來越重要，已處於權貴網絡裡的人等於占盡優勢。

缺乏人脈關係者

在許多方面，新經濟像是讓大家機會均等的雇主。由於電腦高手和心理醫生供不應求，沒有組織願意放過有才華的人。也許有閒情逸致的管理者玩得起種族或性別歧視，但激烈的競爭會迫使他們去取悅消費者和投資者。於是許多受過高等教育的黑人和西班牙人得以進入美國中產階級，還有些能打入上流社會，女性也可以在專業和管理職務上嶄露頭角。靈活的小企業最具多樣性，新興產業的管理階層也比舊式大企業更爲多樣化。

不過，少數民族和女性出任公司高層主管、律師事務所合夥人、基金經理人、專職教授、基金會、醫院和其他非營利機構高層主管的比例仍然偏低。職場的「玻璃天花板」仍然很厚。有色人種的小孩大多在貧民區的單親家庭和爛學校中長大，前途自然受到限制。女性則是因爲想要建立家庭而自願放慢職場步伐，或乾脆辭掉工作。但人脈關係越來越重要也是原因之一。和白人男性相比，少數民族和女性的人脈關係確實比較少。

現在的網絡關係是：只要你認識處在關係網裡的人，而這個人肯爲你擔保，最好的工作就會落到你頭上。高中剛畢業的窮小孩沒有朋友、父母的朋友或朋友的父母可以幫他向大人物說好話，自然就沒有工作和客戶。董事會或教授會裡沒有太多女性，自然就沒有人出面擔保其他女性的能力，以對抗高層男性的性別歧視。通訊的便利使人們越來越依靠認識的人來過濾大量訊息和推薦人才，但有能力引薦的主要還是白人男性。因此在新經濟中，「積極行動」（affirmative action，編按：美國積極保障少數民族就業的政策）最重要的目的是將缺乏人脈關係者納入非正式的關係網絡。

建立名氣

關係是一個起步。關係可以給你一個機會、一次面試和第一份工作，讓你見到大人物。但要在新經濟中揚名立萬，你自己必須有一套不斷吸引新生意上門的方法。要成功，你就得把自己和能夠招攬生意的名號連在一起，再以此爲跳板建立自己的名號。這和第二章談到小企業和大品牌連結的策略是同樣的道理。

很多人誤以爲利用網路進入市場的便利性將使得名氣不再重要，以爲優越的產品和服務能自動吸引消費者上門。如果恐怖小說作家史蒂芬·金能用網路賣出暢銷書，爲什麼你不行？除非你能把沒發表過的小說從衣櫃裡拿出來，放到網上賣出幾百萬本，否則別自欺欺人了！網路就和新經濟其他地方一樣，消費者仍然需要指引。

音樂家朗根（Todd Rundgren）自己架了一個網站，讓人下載試聽他的最新作品（電子吉他與合成打擊樂，配合饒舌與藍調的混合曲風）。如果你喜歡，只要註冊申請，朗根在一年內一有新作品就會直接從錄音室傳到你的電腦。朗根可以用這種方式繞過出唱片和廣告行銷的過程。「如果我到唱片公司談合約，他們會預估有多少人買我的唱片，給我一筆預付款，事實上就是把樂迷會在兩三年後付的錢先給我一部分。」朗根在自己的網站上這樣描述舊音樂產業的銷售模式。「這使我想到，藉由現代科技的幫助，我可以直接和聽眾接觸，問他們想不想買我的音樂，一做好就可以傳給他們。」

你也許很會唱歌，或有一個很棒的樂團，可以把自己的音樂放到任何一個MP3網站，但不要以爲這樣就可以吸引很多樂迷。歌手和樂團已經太多了，每天都在增加，因此要吸引樂迷，你得會推銷自己。朗根的音樂生涯不是從網站開始，他的作品也不是直接從網上吸引到樂迷。他在進入網路之前就有支持者，因爲他所屬的唱片公司早就砸下大錢請廣告公司做行銷，他的巡迴演出也是如此。朗根只是用網路把行銷搬進家裡，改變行銷技術而已。就算進入網路，他也須請人來設計和更新網頁、寫程式，也須發表、促銷和經營「朗根」這塊招牌。簡而言之，網路並沒有減少對行銷的需要，只是給人們多一項推銷自己的工具。

像朗根這種從唱片公司轉而建立個人品牌的例子也出現在新經濟其他地方，不只在網路上。紐約的摩根史坦利是知名的證券公司，擁有一堆績優客戶。在摩根史坦利公司裡，有很多人忙著建立自己的名氣，其中之一是瑪莉・米克（Mary Meeker）。她的工作是建議投資法人投資哪一家網路公司，也建議網路新貴如何和何時公開上市。在本書撰寫期間，米克正當紅。她在四十歲時已是華爾街最頂尖的網路分析師，巴隆（*Barron's*）雜誌封她爲「網路皇后」。她每天會接到大約五十個語音留言、一百封電子郵件，並接受一打以上的媒體訪問。她有一群祕書和助理，網路公司和投資者都急著聽她的建議。

米克擁有的一切不是因爲摩根史坦利對她的賞識。她的確聰明也有眼光，但她的成功是來自自我推銷。米克從德堡大學拿到商學和心理學雙學位後，進入美林證券工作兩年，接著在康乃爾大學修得企管碩士。她在一九八六年進入紐約的索羅門兄弟，擔任個人電腦產業分析師。三年半以後，米克轉到紐約另一家證券公司Cowen & Company，仍然負責分析個人電腦產業。摩根史坦利在一九九一年初將她挖走，希望藉此建立個人電腦領域的專業研究地位。一九九三年十二月，摩根史坦利負責網路服務公司ＡＯＬ的股票上市案。雖然ＡＯＬ當時還在虧本，每股價格只有九十五美分，米克還是把它大力推薦給投資人。ＡＯＬ的股價現在已經漲到一百七十五美元。當你讀到這本書時，股價可能有漲有跌，但這都無關緊要，因爲ＡＯＬ在一九九三年後的狂飆已經讓米克的身價暴漲。一九九〇代中期，米克和一位同事合寫一本厚厚的〈網路報告〉，在電腦業界激起了熱烈的辯論，因爲當時許多電腦公司還很懷疑網路的商業潛力。她後來又寫了兩本報告，也都廣爲流傳，讓她成了網路界的「思想領袖」。

米克在一九九九年的收入據說是一千五百萬美元，比公司裡大多數穿吊帶褲的投資銀行家都高。她已經不需要摩根史坦利這個品牌來吸引客戶，反倒是摩根史坦利要用瑪莉・米克這個品牌來吸引客戶。一九九九年，摩根史坦利光是承銷網路公司上市就賺了一億美元，其中許多公司是衝著米克而來的。「我們不是在跟摩根史坦利競爭，」某家證券公司的科技投資部門主管說：「我們是在和瑪莉・米克競爭。」摩根史坦利付錢留住米克這個品牌非常划得來，而米克也應該會留在摩根史坦利，除非有別家證券公司認為她的品牌值更多錢，給她難以拒絕的報酬。

今天，個人建立名氣是為了自己的前途，不是為了公司。幾十年前的新聞記者多數用匿名寫作。隨便找一本一九五〇或六〇年代的雜誌，很難看到有署名的文章；品牌是屬於雜誌，不屬於記者。但近幾年已有重大轉變。《時代》雜誌在過去二十五年來幾乎沒有更動過版面（每週發行、厚八十五頁、一個封面故事、二十篇左右的文章、新聞摘要、花邊新聞和一篇專論），但至少在一個方面做了顯著的改變：越來越尊重作者和記者。在七〇年代，《時代》雜誌沒有一篇文章有署名。在八〇年代初，約有一半文章的結尾處會用粗黑體打上作者和記者的名字。到了一九八八年，專論作者的名字被醒目地放在標題下。從一九九〇年開始，《時代》雜誌有一半文章在標題下列出作者的名字。到九〇年代中期，每篇文章開頭都列出作者的名字。現在更有一頁是用來刊登專欄作家和撰稿人的小傳和照片。

新聞界開始注重個人名氣不是爲了滿足讀者的好奇心，而是因爲現在的記者也須自我推銷。他們的工作保障降低了，但同時也有大好的成名機會。很多記者在闖出名號後就從一家報社轉到另一家。平面記者最大的成就是被邀請上電視，然後成爲常態來賓。由於雜誌和報紙需要有才華的人，所以會容忍這種曝光方式，而擁有大牌記者也有助於雜誌的銷售量。

在電腦軟體界也是一樣。軟體一啓動就會出現設計者的名字，甚至連包裝上都有。律師事務所、投資銀行和其他專業合夥公司也是如此，個人的名號和業績逐漸成爲廣告的重點。所有行業都向電影工業中行之有年的方式看齊，也就是說，名氣大小是談合約的重點。

現在的政治人物對建立自己的名號比建立自己的政黨更有興趣。他們開發自己的捐款對象、發展獨立於政黨的形象、把通過法案的功勞往自己身上攬、建立自己的政治影迷。如果范度拉（**Jesse Ventura**）在舊體制中，必須在政黨裡奮鬥多年才能當上明尼蘇達州州長。但現在不然，他先以摔角手成名（最知名的一戰是在世界摔角聯盟的擂台上和大蟒蛇搏鬥），然後當上電台脫口秀主持人。永遠的總統候選人布坎南（**Pat Buchanan**）不屬於任何政黨，他以辛辣的電視評論家形象而成名。一九九九年有一段時間，媒體高度關注好萊塢明星華倫．比提、娛樂界女王歐普拉和紐約房地產大亨唐納．川普參選總統的可能性。任何人只要有名氣都可以出來選美國總統，由這就可看出現在的政治已經是自我行銷的政治，美國政治正走上好萊塢化。「好萊塢和華盛頓的關係就像婚姻那麼自然，」電視製作人諾曼．李爾說：「基本上我們是在同一行業。我們都在拚命吸引觀眾。」

自己下海推銷

以前的人不知道自己的身價爲何，因爲市場不夠開放。他們是組織的一部分，也總是待在組織裡。他們不會去別家公司毛遂自薦，也無法想像別家公司會來挖角。但現在的人越來越清楚自己的身價，因爲專業的網路討論區（如年輕律師組成的「貪婪協會」）擁有一切最新的訊息。只要把想跳槽的消息放出去，別家公司就會極力爭取。

一個當紅炸子雞有能力讓別家公司出高價挖角，再用自己的身價擺弄上司。「我眞的不想離開這裡，」這位新星會難過地說：「這眞是一個工作的好地方，你又對我這麼好。」然後再無辜地說：「你覺得我該怎麼辦？」背後的意思很清楚：除非你能提出同樣或更高的價碼，否則我就走人。

有些公司乾脆用對手出的價碼來決定員工報酬。我認識一位最近想加薪的電腦工程師，他待的軟體公司的老闆要他先去問問別家公司肯出多少，然後公司會照樣出價。這位老闆說，決定一名工程師有多少身價的最佳方法就是放到市場去測試。

根據報導，布朗大學的校長只待了十八個月就被范德堡大學用高薪挖走，他在布朗大學的年薪是三十萬美元，而范德堡出的價錢高出三倍。從前的常春藤大學校長待個十年以上是不成文的規定，現在顯然不是這麼回事。這位布朗大學校長將范德堡大學出的價碼告知董事會，董事會不願意出這麼多，他立刻辭職走人。此舉不僅大傷感情，也讓幾千名布朗大學學生學到新經濟中金錢和忠誠的關係。負責任用這位校長的范德堡大學董事則表示，她不懂大家幹嘛大驚小怪。身兼大盤書商的她說：「時常有人把我公司的人挖走。」

「獵頭者」手上要維持一大堆名單以備不時之需，即使被盯上的人很滿意現在的工作。「他們總有一天會想換新工作，」一名獵頭者指著他的名單對我說：「總有一天他們會遇到一個絕佳的機會。我們得事先打好長期關係，不管是當紅炸子雞，還是需要人才的公司，兩邊的關係都要有。」

自從自由球員出現以後，美國職棒界好多年來便是用這種模式招攬人才。球團擁有價值非凡的當家球星，前途大好的球員則建立自己的品牌。我曾帶兒子亞當去看紅襪隊比賽。他最喜歡的球員是一壘手馮恩。馮恩的全壘打能力比任何隊友都強，當他站上打擊區，亞當總是暗自祈禱投手不要將他保送。隨著馮恩的名氣上漲，他為紅襪隊帶來更多球迷，他的薪水也扶搖直上。幾年前，馮恩要求更高的薪水，而紅襪隊只能提供五年六千四百萬美元的合約，結果被他拒絕。「在這裡的時光眞是美好，」他在轉往安那漢天使隊時對失望的球迷說：「我一點也沒有不滿。我要感謝我的隊友，並衷心祝福波士頓紅襪隊和『它的』球迷們。」雙引號是我自己加的，因為我要強調這種代名詞的轉變。紅襪隊和馮恩這兩大招牌現在要分道揚鑣了。正如馮恩自己說的：「我沒有離開，我只是到別的地方工作。」

球團爭相喊價拉大了球員的收入差距，也反映每個球員吸引球迷的能力。在律師事務所和其他專業合夥公司也可以看到同樣的現象。能拉到客戶的「造雨人」（rainmaker）的報酬比只會做專業工作的人高好幾倍，因為這些「造雨人」賣的不是公司而是自己，他們能拉到客戶是因為他們小心培養名氣和人脈關係。以前這些都不重要，每個合夥人的酬勞都差不多，合夥關係也很長久。但價值非凡的「造雨人」在新經濟中到哪裡都吃得開，他們自然會希望酬勞能反映個人品牌的價值。一旦拿不到像樣的酬勞，他們就會轉到願意掏腰包的公司，把自己的品牌（和一大群客戶）一塊帶走。

喊價遊戲最不可能發生的地方是美國知名大學的終身職教授缺。終身職教授一待就是幾十年，到死為止，有時連死後都陰魂不散。他們在同一個講台對好幾代的學生講同樣的課，用同一篇論文修修改改寫出不同的東西（還被同一個圈子裡的同事閱讀和評論），參加同樣的學術年會。每個人都認爲這些大學非常崇高，能當上教授就應該滿足了。已故作家兼哲學家斯諾（C. P. Snow）就曾說，劍橋大學的教授自己沒什麼成就，都是在成就別人。

不過，就算是這些老朽之處，新秩序也在隆隆作響。一九九八年秋天，哥倫比亞大學給巴洛（Robert J. Barro）三十萬美元的年薪，請他從哈佛轉到哥倫比亞的經濟系擔任教職。這樣的薪水比哈佛、哥倫比亞和其他一流大學的文理學院教授的最高收入還要高出一倍。據《紐約時報》報導，哥倫比亞還答應提供巴洛三間寬敞的辦公室（在擁擠的大學建築物裡，辦公室就和停車位一樣難求）、一大筆研究經費以及聘任經濟學新秀的權力。這還沒完。哥倫比亞還送他兒子到曼哈頓的私立學校就讀，給他太太一份年薪五萬五千美元的大學職務，並將他全家安置在河邊大道有兩千三百平方英尺大的校有公寓。哥倫比亞不但把公寓重新裝潢，出租費也只有市價的一半。

我不認識巴洛，但我確信他很有能力。他的理論對經濟學界有重大的影響，使他在就任哈佛之前就已經非常有名。哥倫比亞大學對巴洛挖角的意義不在於當事者本身，而在於最神聖的學術聖殿也開始受個人品牌影響。在此之前，「哥倫比亞大學」和「哈佛大學」的品牌比任何教授的名號都有吸引力。兩所大學都是慢慢建立自己的教授群、培養明星級的博士生、甄選碩士生，只有在不得已時才會從別處吸收新秀。雖然教授中難免會有害群之馬，兩所大學還是小心呵護許多偉大而活躍的心靈，而這些人的聲望也隨著時間而增長。

但即使是哈佛和哥倫比亞也開始轉型爲快速流動的網絡，它們必須靠已有的人才來吸引新的人才（包括教師和學生）。它們必須維持一種良性循環：先用學校的品牌來強化教授和學生的個人聲望，後者再反過來強化學校的聲望，以吸引更優秀的教授和學生。由於現在的人才到處流動，這種良性循環已不再是理所當然的事。學術成就是可以整批買進的；只要薪水和補貼夠慷慨，整個系都可以買進來。

哥倫比亞之所以願意給巴洛這麼一大筆錢，是因爲認爲他在經濟學界的聲望可以擦亮哥倫比亞的招牌，並加速這種良性循環。事實上，透過巴洛，哥倫比亞可以建立一個更出色的經濟系團隊。巴洛和哥倫比亞談條件時，曾送上一份他希望招聘的十到十二位經濟學新秀的名單。如果順利，名單中許多人會看在巴洛和其他新秀的份上而加入哥倫比亞。哥倫比亞可藉此迅速建立一個學術團隊，不用慢慢挑選人才。「這件事如果成功，將會改變人們對選擇建立或買進的看法。」芝加哥大學的經濟學家評論：「有錢能使鬼推磨，猛攻最能奏效。」

哥倫比亞在出價之前，曾向其他知名經濟學家徵詢過巴洛的吸引力。哥倫比亞的院長請教以保守出名的經濟學家米爾頓．傅利曼（Milton Friedman）的意見。「米爾頓相當肯定，」這位院長告訴《紐約時報》：「他說『巴洛很年輕，曝光率又高，很多人都被他吸引』。」一位哥倫比亞的經濟學者從成本與效益的角度來看這筆交易，說：「我們可以賺到一大筆巴洛所創造的價值。」

這次挖角讓哈佛大學深感震驚。難道哈佛大學的品牌還不夠讓大牌教授留下來嗎？系主任本來還在吹噓自己從來不必和其他大學比價，現在他得邀請巴洛共進一道「酒味十足的馬拉松晚餐」，開出哈佛大學願意提供的條件（包括一所新的研究中心）。這些條件顯然生效了，因爲巴洛最後還是決定留下來。這對哈佛來說是個警鐘，這位系主任絕不想再來一次。據說他正在籌措預備金以防範下次挖角。

巴洛事件的有趣之處還在於它透露了哈佛和巴洛兩大品牌之間微妙的緊張關係。長期以來，巴洛的研究和著作不但建立了他自己的品牌，也擦亮了哈佛的門面。巴洛既是爲自己工作，也是爲哈佛工作。

但哈佛大學也不能單靠個別大牌教授，還得有人做出貢獻。想像你是一位年輕的哈佛大學助理教授，並目睹巴洛幾乎叛逃到哥倫比亞的整個過程。哈佛不但要你從事研究和著述，也要你做一些只對哈佛有利但對你自己的聲望沒有幫助的事，如上課、指導學生、向校友演講、參加校務會議等等。你要放多少時間和精力在這些無助你自己品牌的校務工作上？你一定會能躲就躲。這都會影響你留在哈佛的意願。你現在瞭解努力建立自己的品牌有多大好處了吧！

新經濟給大牌教授許多靠名氣賺錢的機會，能在網路上出售自己的品牌（賣演講和課程）。他們以前可能教一百個學生，從學生交給學校的學費賺取一千美元。現在則可以在全世界收到十萬名學生，如果每個學生給他十美元，他就能賺到一百萬。（這些課程和品牌的所有權屬於教授自己還是他所任教的大學，必然會成爲受爭議的法律問題。）

所有機構都會出現這種現象：當人才的流動性越來越大，市場競爭越來越激烈，人們就會把時間和精力投資在自己而不是所屬機構。除了某些團體的使命感強到能扼止個人成名的欲望，大部分團體的成員都會把自我推銷排在第一位。

巴洛傳奇還有另一個有趣之處。當巴洛的身價廣爲人知以後，全美國的教授都會拿自己的酬勞和巴洛做比較。如此一來，許多本來很滿意現狀的人就會開始不滿。在舊經濟時代，你的薪水和同一職位、同樣年資的同行是差不多的，你無法對薪水討價還價。但在爭相喊價的新經濟中，你的酬勞很可能和同事大不相同，而且拿多少錢都會被人知道，你們的身價也從中展現。只要有一點消息傳出，就會造成更多的憤恨與不滿。

如果馮恩接受波士頓紅襪隊開出的年薪六千四百萬美元，他可以過得相當舒服。雖然安那漢天使隊給他七千兩百萬美元，但如果扣掉洛杉磯的稅率和生活支出，其實差不了多少。問題是紐約大都會隊在一九九八年給皮亞薩九千一百萬美元，紅襪隊也給馬丁尼茲七千五百萬美元。馮恩可能認爲自己的身價至少該和馬丁尼茲相等，而紅襪隊只肯開六千四百萬美元表示紅襪隊不這麼認爲。光是對身價看法不同就足以讓馮恩打包走人。

和我同系的好友最近決定到另一所給他更高價碼的大學任教。他在系上很受敬重，也不是那種會計較薪水的人。我問他爲什麼要走，他看了我很久後，才說：「我覺得在這裡不受重視。」

起先我不懂他的意思。我這位朋友得過很多獎，當過系主任，每個認識他的人都讚賞他的學術成就和他對學校的貢獻，學生也很喜歡上他的課。爲什麼他會覺得不受重視？他解釋說，他現在的薪水比校內其他教授高不了多少，而另一所大學願意「排除萬難」招攬他。

我問他：「如果你不知道校內其他人的薪水，也不知道其他學校的薪水，而且別人也都不知道，你還會覺得不受重視嗎？」他想了一會，說：「大概不會吧。」

之所以不會，是因爲我這位朋友本來可以用其他東西確定自己的價值，這些東西要比薪水的差異細微得多。不過自己薪水袋的數字和別人薪水袋的數字的差異到底是明顯多了，尤其這些資訊都是公開的。我不認爲這位朋友會在乎多出來的錢可以做什麼，他在乎的是錢所代表的他在學術專業上的價值。錢是他在學術圈有多少價值的指標。我的朋友就是要到更看重他的學校去。

為什麼贏者無法通吃？

有一種最新流行的理論認為，像巴洛這樣的人之所以會比別人更賺錢，是因為只有少數人在全國或全球市場擁有可見度和名氣，能夠「贏者通吃」。這個理論乍看之下很有道理。常春藤大學的新生名額確實不多，暢銷書也只有那麼幾本。但是在動態的新經濟中，真正的「零和遊戲」並不多見。大品牌背後通常有一大群小有名氣的人，他們都具有才華和推銷能力。大品牌要靠小品牌幫襯，小品牌的聲望也隨之上漲。由於小品牌推銷的是自己而不是組織，它們可以取得與身價相符的報酬，或者轉到報酬更高的地方。

迪士尼董事長艾斯納（Michael Eisner）在一九九九年春天寫給股東們的信中，特別吹捧旗下ABC的新電視喜劇《運動夜》。「它實在太棒了，」艾斯納寫道：「這是能讓ABC電視台成為第一大台的基石。」就算艾斯納對《運動夜》的期待是正確的，問題是這麼熱門的電視節目到底捧紅了誰？

《運動夜》並不是迪士尼的財產。它是一家製作公司的成品，老闆是電影製作人朗．霍華、格拉澤及好萊塢資深經紀人克朗茲。這三個人製作了好幾部熱門電視節目，不只在

ＡＢＣ，也在別家電視台ＮＢＣ和福斯。所以眞正紅的是朗・霍華、格拉澤和克朗茲三個人。如果《運動夜》大受歡迎，廣告公司得付迪士尼一大筆錢才能買到ＡＢＣ播放時段的三十秒廣告。但這些錢不是由迪士尼淨賺。如果迪士尼想要繼續播放《運動夜》，就得把大部分錢分給朗・霍華、格拉澤和克朗茲，因爲他們的身價比以前更高。他們的名氣是被所有電視台主管炒高的。

朗・霍華、格拉澤和克朗茲也得把賺來的錢分給編劇和製作人。其中之一是索金，他是這個節目的原始構想者，最初幾集也是他寫的。在做這個節目之前，索金的名氣已經在好萊塢上漲。他寫過電影《軍官與魔鬼》和《白宮夜未眠》的劇本。如果《運動夜》變成大熱門，索金的身價將更高。

所以當艾斯納告訴股東《運動夜》是讓ＡＢＣ成爲「第一大台」的「基石」時，這種說法並不完全正確。即使《運動夜》眞的紅了（事實上並沒有），迪士尼股東們賺的錢並沒有因此比想像中多。因爲艾斯納只是一個關係網絡的環節，而網絡中的每個環節都有權選擇以後想和誰連在一起，進而減少了「贏者通吃」的現象。像索金這樣有才氣的人（他是另一個環節）有能力得到與身價相符的報酬，如果迪士尼不給他合理的報酬，競爭對手就會把他從ＡＢＣ挖走。這件事在一九九九年秋眞的發生了，他跑到ＮＢＣ製作另一個影集——《白宮群英》。

在新經濟中，像馮恩這種贏者通吃的球員並不多。組織中的高層人士當然拿得很多，因爲他們有天分、有人脈關係，又精於自我推銷。但他們並沒有贏者通吃；他們將報酬分給背後的功臣，後者也是如此，使整個關係網絡利益均霑。有才華的人打出名氣以後身價會更高，好萊塢的索金就是箇中高手。

並不是只有少數人處於頂端而其他人遠遠落在底下，許多有才華的人都在往上爬。收入最高一％的人賺得金山銀山，最高五％的人比以前賺得更多，最高二〇％的人也過得很舒服。但所得差距也比以前更大。如同前面所說，中間收入者沒有多少進展，比他們更低層的人則過得更糟。

市場導向者

在舊經濟中，如果大家都喜歡你，你就能爬得比別人快。所以自助型的書像《如何贏得朋友和影響他人》會大行其道，「組織人」的觀念也被大家廣泛接受。《推銷員之死》中的威利・洛曼這樣告誡他兒子如何成功：「只要被喜歡，你就不用求人。」他說：「這個國家神奇的地方在於，一個人可以因爲被喜歡而成爲巨富。」

美國著名社會學者大衛・萊斯曼認爲二十世紀的人具有「他人導向」人格，其最高目標就是尋求同儕認同。他這樣描述美國在二十世紀中的典型人格：「只有被認同才算成功。因此所有的權力……都操在實際或想像中的團體手上。」

但在新經濟中，你爬得快不是因爲別人喜歡你，而是因爲你有良好的行銷。現在的目標不是融入集體或被同儕認可，而是要卓然出眾，要吸引潛在客戶或可以讓你拉到客戶的人。舊式的組織正在消失，取而代之的是不但信任自己還能搏得別人信任的人。也就是說，自負比合群重要，自信比謙卑有用。要獲得力量就必須先「覺得」自己有力量，要有「致富的勇氣」。理財大師蘇茲．歐曼（Suze Orman）便說：「你得先覺得自己有價值，你的財富才會跟著增加。」管理顧問湯姆．彼得斯（Tom Peters）則說：「你從今天開始就要像個品牌。你的品牌一點都不輸給耐吉、可口可樂、百事可樂或美體小鋪。」如果你要成功，你「最重要的工作是推銷你自己這個品牌」。

理財和管理顧問是美國人的新精神領袖。他們是電視佈道家、心理學家兼個人教練，教你如何發財和在精神上自我實現。在自動自發的金融精神主義之下，個人價值是以財產淨值來計算。這是新教倫理的極端發揚：你的價值決定於市場給你的報酬，你的財富成就不是因爲相信上帝，而是因爲相信自己。只要你能把自己塑造成可以行銷的產品並成功賣出，你就能增加自己的價值，被神聖的市場祝福。

因此，一個點心師傅可能有一大群個人行銷專家、宣傳人員和形象顧問幫忙他推銷食譜、上有線電視節目、主持老饕網站、代言新的調味料與湯包，甚至推銷廚具。法國點心師托瑞斯說：「如果你是個廚師，你會有一份起薪，也會慢慢加薪。但如果眞要過好日子，你就得出書、上電視。」擅長「個人行銷」的房地產經紀人唐．霍布斯也說，經紀人應該花錢做廣告去「行銷自己，把自己和其他五千個搞房地產的區隔開來」。

幾年前，美國各州的法律還禁止醫生打廣告。人們當時認爲醫生不是、也不應該是商業文化的一部分，必須遵奉醫學之父希波克拉底（Hippocrates）的信條。今天，在「醫界公關」的幫助之下，有的醫生在推銷減肥食譜，有的在當健康顧問，或賣各式各樣的產品，從無糖的楓糖漿到類固醇荷爾蒙促孕劑都有。這些玩意多在網路上出售，包括在 Dr. Koop 健康網站。牙醫會雇用公關經理來宣傳高技科的牙齦雷射手術和牙齒矯正術。有位叫拉瑞．羅森索的醫生甚至以自己的名字當作品牌，促銷電動牙刷和牙線。

有的天才甚至發行自己的股票。搖滾巨星大衛．鮑伊發行個人公債（讓投資人能擁有部分他未來的版稅和演唱會收入），一個小時內就賣超過五千萬美元。瑪莎．史都華也成立公司發行自己的股票。她不是單純爲某項產品代言，而是賣自己亮麗的風格（質樸而高雅的品味、迷人的裝飾理念、家庭風味的烹調手法以及令人賞心悅目的生活方式）。投資她的人希望瑪莎．史都華這個品牌能有自成一格的價值，但如果她拿著錢退休到荷屬西印度群島，他們會發現兩者是密不可分的。

現在的政治人物賣的不是理念和政見，而是個人魅力。他們雇用一大堆政治顧問來幫忙行銷。行銷做得好的政治人物不需要靠政黨，就像大牌教授不需要靠學校、名記者不需要靠報紙、天才編劇不需要靠電視台或製作公司、籃球巨星不需要靠球隊、明星級投資分析師不需要靠證券公司。政黨就和其他組織一樣，已經變成個別企業家的集合體。不過，今天的政治人物在脫離政黨和政綱之後還是有爛仗要打。這一點都不奇怪，因爲當行銷重點由政黨或理念轉爲個人魅力，選舉就不可避免地要對人不對事。選舉成敗就看能否吹捧自己並同時抹黑對手。「對手研究」（opposition research）——也就是挖對手瘡疤——已成爲美國選舉的特色。

自我推銷不但會對生活造成很大的壓力，還會破壞人際關係。一旦自己待價而沽，所有的關係都有被交易的可能。市場導向的新人類只希望能夠交易，然而當朋友和親人都成爲自我推銷的工具時，所有的關係看來都是別有所圖。在華府、紐約、好萊塢、矽谷和其他交易中心，和「朋友」吃頓午飯而不想到對方可能想賣或買些什麼幾乎是不可能的事。而這種想法經常是正確的。

市場導向者的身價不在於是否被同儕接受，而在於別人願意付多少錢買他的服務。在有些地方，兩個很久不見的人互相問候的第一句話不是「你好嗎？」，而是「你忙嗎？」

這種問話背後的假設是，如果一個人很忙，表示他有市場需求，而如果一個人有市場需求，那他一定過得很好。一個說「我忙死了」的人不是眞的在抱怨，不管他說得多眞誠。他也許會抱怨除了工作之外沒有時間和精力做別的事，抱怨得犧牲朋友和家庭才能往上爬，但這也表示他在市場上很成功，而這才是市場導向者是否成功的眞正標準。

大衛・萊斯曼所描述的他人導向者有在團體中失去自我的危險，而新世紀的市場導向者則有出賣自我的危險。哪一種比較危險？從前，對一個人最糟糕的評語是說「他出賣自己」，到了今天，對一個人最糟糕的評語變成「他還沒出賣自己」。

8 急遽萎縮的家庭

新型態的工作對家庭生活的傷害已是有目共睹的事實，比較有趣的問題是它發生的原因和傷害的形式。

二十世紀中期的核心家庭——先生有穩定的工作，太太在家照顧平均二·七個小孩並勤於打掃，每個人都回家吃晚飯——已經是歷史陳跡。如果你回到大規模生產之前的十九世紀中期，你會看到完全不同的景象：親人來來去去，嬰兒死亡率很高，繼母替代產後死亡的生母，繼父替代死於意外或疾病的生父。每個家庭成員都必須工作（不論男、女、小孩都要做長時間的體力勞動），才能有足夠的食物和遮風避雨之處。那時的經濟狀況遠比今日不安定，生命亦然。

在工業時代的今天，生活不安定的來源不是死亡而是工作。工作使家人長時間分離，就算有時間聚在一起，也會不斷被打擾。爲了適應新經濟的需求，新型態的家庭得絞盡腦汁才能齊聚一堂。社會學者甚至發明DINS（double income, no sex）這個詞來描述現代夫妻，因爲他們累得除了睡覺之外什麼都不想做。有子女的夫妻則有三分之一會輪流分工，白天時一個工作另一個照顧小孩，晚上就交換角色。他們用字條溝通，把誰打電話來、小孩的狀況和晚上吃什麼都列出來。

家裡無人的時間越來越長。夫妻都要通勤上班，就算辦公室離家不遠，工作時間也要一整天。小孩在白天得送給保母帶，年老的雙親則孤單住在養老院。很少有家庭能順利聚在一起吃晚飯。夫妻回家的時間總是晚於小孩子肚子餓的時間。在已婚的美國人中，敢「肯定地」說「我們全家常在一起吃晚飯」的比例近二十年來下降了三分之一，從五〇%降到三四%。

有些家庭甚至一星期才聚一次。克雷格．佛曼（Craig Forman）是myprimetime.com的執行長，這個網站的宗旨是幫工作繁忙的人有效利用時間。每週日晚上六點半，佛曼都要和太太塞西爾、七歲的兒子艾略特聚會。「我沒有週末和週一可言，」佛曼告訴《高速企業》的編輯：「我的生活非常動態。我到處旅行，身上要帶好幾支手機和網路傳呼機。每週一次的家庭聚會讓我們有機會在一起，讓彼此知道下星期的行程。」其中一次聚會的討論主題是，要不要幫艾略特請一個法文老師，因爲艾略特在他們搬到舊金山前一直是上法語學校。「我們的家庭聚會就像公司的計畫進度報告，」佛曼說：「我們輪流報告下星期的行程表和手上的難題。」

若比較一九七〇年代初和二十五年後的典型美國家庭，最大的差異在於有子女的家庭比例大幅下降，從一九七二年的四五%掉到一九九八年的二六%，而未婚同居無子女的比例則從一六%上升到三二%。簡而言之，家庭的典型已經從已婚有子女轉變成未婚無子女。在二十世紀中，反映家庭常態的喜劇節目是《爸爸最聰明》和《天才小麻煩》。今天的喜劇節目則繞著單身男女打轉，像《艾莉的異想世界》和《六人行》。

我們可以用一九七〇年代以來的幾項發展來解釋這種轉變。首先，女性在生育上獲得更大的主導權，她們可以取得更有效的口服避孕藥。一九七三年，美國最高法院判決各州政府不能阻止女性在懷孕初期墮胎、也不能阻止醫生配合女性要求進行此種手術。不過女性生育自主權的增強不能完全解釋這種轉變，因爲也有研究顯示，希望擁有大家庭的人大幅減少。在一九七二年，多數成年人（五六%）認爲最理想的子女數目是三個以上。到了一九九〇年代末，抱持同樣看法的人不到四〇%。

一九七〇年代以來還有別的發展，而且還在持續加速中。這些發展實際上可以分爲兩種。兩種密切關連，是我們討論過的大趨勢的一部分，值得個別深入討論。

家庭大轉型（I）

男性配偶收入減少是女性從一九七〇年代起進入職場的第一個原因。過去從事主要生產工作的男性在經濟轉型中感到特別痛苦。隨著先生的收入降低，太太必須出去工作來貼補家用。（當然，許多貧窮的女人本來就必須工作。）

男性藍領勞工收入的下降有充分證據顯示，雖然幅度仍有爭議。在某些方面，二〇〇一年的藍領家庭的生活比一九七九年好，即使名目所得因爲通貨膨脹而降低。由於創新的關係，一些產品和服務不但比以前便宜，品質也更好，還有一堆新產品和新服務。長途電話費降低了，電視機、飛機票和很多東西也變得很便宜。你也可以買到數位錄音機、教育軟體和威而鋼。你的壽命延長了，因爲醫生可以用ＭＲＩ斷層掃描儀來檢查癌細胞。如我再三強調的，你可以從事許多絕佳的交易。

然而即使在富裕的年代，還是有人覺得自己的社會地位不如從前。隨著美國人整體的生活水準持續上升，沒有得到甜頭的人自然會覺得自己是輸家。爲了把失去的東西贏回來，就會更賣力工作。這不是因爲嫉妒鄰居過得比較好，而是出於對最低生活水準的危機感。許多藍領家庭覺得從一九七〇年代末以來一直工作得很辛苦，卻只是爲了保持現狀。

而女性的工作尤其辛苦。

家庭大轉型（II）

另一類女性因爲不同的原因而進入職場。新經濟提供高報酬給創意人才，這些好的工作機會從經濟轉型的一九七〇年代初也對女性開放，有才幹的女性未來會有更多機會。

當我在一九六〇年代末進大學時，美國多數大學女生想當老師或護士。但到了一九七〇年代初，只有少數女性想從事這類崇高但薪水很低的職業，因爲她們有其他薪水更高的工作機會。原因之一是有一群能幹又前衛的女性致力打破性別障礙，並使禁止性別歧視的法案獲得通過。但如果不是因爲新經濟對創意的需求，許多門還是開不了。從一九七〇年代開始，隨著新經濟的攻城略地，高教育女性的收入和機會也跟著大幅增加。

這類女性出去工作不是爲了補貼家計。她們的老公通常擁有高學歷，收入排在男性前五分之一。在一九七九年，嫁給這種有錢老公的女性有五五%出外工作，平均收入爲一萬五千八百美元（以一九九六年幣值爲單位），這個比例到一九九〇年代末上升爲七五%，平均收入爲兩萬七千一百七十五美元。這表示她們的收入增加了一一三%，增加速度比老公收入不屬於前五分之一的女性的收入要快，甚至比自己老公的收入更快。

爲什麼這些根本不需要工作的女人也在工作呢？除了工作的滿足感之外，也因爲她們不工作的機會成本增加了。隨著工作機會和工作報酬的增加，待在家裡不工作的代價也隨之增加。

這可以解釋爲什麼上大學的女性越來越多（女性已經多於男性）。高中畢業女性有七〇％上大學，男性則只有六四％。如果這個趨勢持續到二〇〇七年，美國的大學女生人數會達到九百二十萬，大學男生則只有六百九十萬。這和從前相比眞是大逆轉。在二十世紀中期，如果家境不夠寬裕，父母通常只讓兒子而不讓女兒上大學，因爲兒子受教育後的工作機會要比女兒好。

即使工作相同，高學歷女性的收入仍比高學歷男性低。正如前面所說，社會上仍存有性別歧視。但如果目前的趨勢持續下去，女性在這個世紀將會迎頭趕上。就新經濟所需的特質而言（創意和理解他人的能力，分屬於電腦高手和心理醫生），女性並不亞於男性。此外，教育程度和未來的收入高度相關（也和找到好工作的人脈關係高度相關），所以當女性也能和男性一樣取得大學文憑和隨之而來的人脈關係，兩性的收入差距就會縮小。你已經可以見到這個趨勢的苗頭：在雙薪家庭中，女性的地位越來越高；一九八〇年時，太太收入比先生高的比例不到五分之一，到了二〇〇〇年，這個比例已接近三分之一。在高學歷女性中，收入比先生高的則將近一半。同時，從事管理和專業工作的女性也越來越多。在一九七〇年，這類女性（除了老師和護士以外）占所有管理和專業工作人士不到二〇%，一九九九年則已超過三六%。女性占高階專業人員的比例則從一九七〇年的九・二%上升到一九九八年的二八%。

但問題就出在這兒。如同前面所說，新經濟要求對工作完全投入，你不是走快車道就是走慢車道。如果想留在快車道，你就必須爲了消費者和客戶熬夜加班，二十四小時待命，不斷建立人脈關係，跟上最新的發展。然而很多女性仍是家務的主要操持者，很多男性也認爲應該如此。要賺錢養家又要做家事，這幾乎是不可能的任務。

如果夫妻都想要小孩，擁有高收入的太太就有能力先談好條件，要先生至少負起照顧小孩的一半任務。如果男方不想要而女方想要，那麼願意負起一半養家任務的老公便很容易供不應求。所以女性還是必須在養育子女的快車道和慢車道之間做選擇，很多人也正這麼做。

不久之前，邁阿密一家律師事務所的合夥人艾莉絲・海克特把女兒的監護權輸給了前夫羅伯・楊。艾莉絲長時間在事務所工作，而楊是個失業的營造商，可以整天在家陪女兒。兩人離婚爭監護權時，艾莉絲力辯自己陪女兒的時間和大多數從事專業工作的父母一樣多。也許是的，但這說服不了法官。法官比較在意的是哪一個人陪小孩的時間最多。「紀錄上清楚顯示，」法官把監護權判給父親時說：「楊先生可以在小孩放學後陪她，帶她去看醫生，積極參與小孩的學校活動和課外活動。」楊在法官宣判後表示：「她能把這麼多時間花在工作上，完全是因爲我把時間花在小孩身上。父親也可以身兼母職。」

從這個案例可以看出未來的景象。女人不能魚與熊掌兼得，男人也不行。就算夫妻都有全職工作，也得有一個在快車道和慢車道之間做選擇。因此，重視小孩甚於金錢、權力和聲望的女性不會犯艾莉絲的錯誤。她們會讓丈夫去走快車道，自己留在慢車道以確保離婚後的監護權。

經濟轉型也改變了人們對婚姻和工作的態度。例如，在一九七〇年代末，絕大多數美國人還認爲太太不需操心家計。至八〇年代末，即使新經濟帶給家庭很大的壓力，觀念這麼古板的人還是超過半數（五一・七%）。但到了九〇年代初，已有超過半數的人認爲太太「應該」貢獻家計，九〇年代末則增加爲三分之二。同樣地，在七〇年代末，有三分之二的人贊成「男主外、女主內」，到了九〇年代末則有三分之二的人表示不贊成。

進退兩難

不管女性爲了什麼理由進入職場，家庭都因此而萎縮。女性的生育率越來越低，甚至不生。原因可能是養不起或沒有時間和精力，或兩者皆是。

由於新經濟的風險越來越高（所有企業都忙著把固定成本轉爲變動成本），工作和收入變得極不確定，許多女性（或男性）都不想負擔小孩這個最大的固定成本。之所以冷酷地把小孩說成「固定成本」，是因爲小孩的需求是持續性的。小孩需要穩定而可靠的生活，然而新經濟既沒有持續性，也沒有穩定性和可靠性。

所以已婚婦女的生育率隨著經濟轉型而降低是一點都不奇怪：從二十年前的千分之九八降到一九九〇年代末的千分之八十。只要新經濟繼續發展，出生率就會不斷下降。在一九七〇年代中，只有一〇％的中年婦女沒有小孩，她們主要是老師、修女和護士，選擇以職業爲人生目標。她們不生小孩的決定固然值得尊敬，但沒有小孩也使她們被排除在主流文化之外。今天，不生小孩已不是什麼奇怪的事。四十到四十五歲的婦女中有一九％沒有小孩，其中有些人的婚姻很美滿，只是想追求生兒育女之外的東西。

在新經濟中，生育年齡也提高了。未滿二十歲者的生育率大幅降低，在二〇〇〇年時達到一九〇六年以來的最低點，而且不論哪個種族都有相同的趨勢。二十到三十歲婦女的生育率則大致不變。唯一升高的是三十歲以上婦女的生育率。在我居住的麻塞諸塞州，新生兒的母親年紀在三十歲以上的比三十歲以下的要多。

女性延後生育年齡完全是對新經濟的理性反應。貧窮的婦女要有足夠的經濟能力才會養小孩，職業婦女則想找到伴侶或功成名就之後再談生育大事。每個女人都知道生小孩後的工作前途無法和從前相比。這個看法很可能是正確的。不論貧富，沒有小孩的年輕女性的收入幾乎和男性相當。一旦有了小孩就要面臨快車道或慢車道的抉擇，而女性通常會選擇後者，因此失去和男性競爭的優勢。

新經濟可以解釋家庭規模縮小和組成延後的現象，但爲什麼連婚姻都消失了？美國人的結婚意願已經降到一個世紀以來的最低點。其中一條線索是：結婚率大幅滑落的現象始於一九七〇年代。在一九七〇年，有六八％的成人已婚，只有一五％的成人沒結過婚（其餘的是離婚、分居或鰥寡者）。到了九〇年代末，已婚成人只占五六％，從沒結過婚的則高達二三％。

大規模生產體系從七〇年代開始萎縮，藍領勞工的收入也隨之停滯或降低。即使收入沒有降低，也比以前不確定。於是男性對於女性的價值便降到有史以來的最低點。別怪我把婚姻說得這麼不浪漫，現在多數女性面對婚姻時確實會理性地計算，會考慮結婚對象的收入。二十五年前，在大規模生產經濟中有一份穩定工作的男人是家庭收入的主要來源，而多數女人沒有自己的收入。在這種狀況下，男人對穩定婚姻的承諾對女人就非常重要。但從那之後，這種承諾的價值便開始下跌，就像公司的股票跌到谷底一樣。

讓我們看看女性的收入。雖然女性目前的收入還是低於男性，但普遍呈上升的趨勢。就算男性的收入還不錯，但在不可測的新經濟中一切都很難說。如果他丟掉手上的工作，而下一份工作的收入又很少，難保他不會開始吃軟飯。

所以女性要避免風險是完全合乎理性的。「不付錢就滾蛋」也許就是現代女性的思考方式：老兄，只要你付得起家裡的開銷，你就可以留下來，如果付不起，你就滾吧。我不是說大多數的未婚女性面對婚姻時都這麼唯利是圖。重點是，這種計算在新經濟中是完全理性的，而且不管有無意識，做這種計算的女性越來越多。

許多道德家想把離婚條件定得更嚴。美國有好幾個州規定只有在婚姻輔導無效的狀況下才能離婚。有的州則要求在結婚前必須做好充分準備，例如佛羅里達州規定只有上過「婚前教育」課程的人才可以享受結婚手續費打折的優惠。要求人們在結婚和離婚以前考慮周詳並沒有錯，但沒有達到重點。結婚率下降的主因不是道德衰落，也不是有欠考慮，而是經濟轉型。很多男人已經失去結婚的價值，女人也不再爲了經濟保障而結婚。事實上，婚姻還會危及女性的經濟利益。離婚率升高的速度之所以趨緩，正是因爲很多女性本來就不想結婚。

不是什麼道德危機

道德家最不滿的是未婚生子的比例越來越高。在二十世紀中，美國的非婚生子女只有五．三％，到了一九九〇年代，已超過三一％。其他國家也有同樣的趨勢。比如在英國，非婚生子女的比例現在和美國差不多，而且是在三十年中增加了三倍。

非婚生子女的比例確實越來越高，但背後原因和一般人想的不同。由於已婚女性越來越少，而且已婚女性的生育率降低，非婚生子女的比例當然會提高。這對小孩來說可能很不好，但不能因此斷定未婚生子已呈趨勢。假設已婚女性生三個小孩，未婚女性生一個，則每四個小孩中就有一個是非婚生子女。若是已婚女性生兩個小孩，未婚女性生一個，則每三個小孩中就有一個是非婚生子女。兩相比較，非婚生子女的數目有增加嗎？相對於嬰兒出生總數確實是有，但不論在哪種狀況，未婚女性都一樣只生一個。也就是說，所謂「非婚生子女的危機」不過是結婚率下降和已婚夫婦生育率下降的附帶狀況。而且，隨著不想生小孩的女性越來越多，女性未婚生子的比例也跟著下降。

還有一種半眞半假的說法是，有將近七〇％的黑人嬰兒是由單身黑人女性所生。這確實沒錯，但其實黑人女性的子女數也在降低，其中又以已婚黑人女性爲最，所以黑人非婚生子女的比例自然會提高。不過，單身黑人女性的子女數也有減少的趨勢。她們的生育率從一九八九年開始穩定下降，在一九九〇年代末達到四十年來最低點。簡而言之，黑人女性並沒有未婚生子的「不道德」趨勢。

比較有趣的問題是：爲什麼黑人女性的子女數會減少？原因和白人女性一樣，只是情況更極端。黑人男性的收入從一九七〇年代起大幅下降，使得黑人女性得賣力工作來彌補家計。與此同時，黑人女性的工作機會也有改善，她們為了生小孩而放棄工作的機會成本因此提高，和白人女性面對的狀況一模一樣。事實上，黑人出生率下降得比白人還快，而這主要是因為黑人女性的收入增加得比白人女性快。高中畢業黑人女性的收入現在和高中畢業白人女性差不多（比率是九百二十六美元對一千美元）。相對地，高中畢業黑人男性的收入仍遠不及高中畢業白人男性（比率是七百三十二美元對一千美元）。而有四年制大學文憑的黑人女性的收入則和有四年制大學文憑的白人女性差不多。黑人女性進高中和大學的比例也越來越高。換句話說，黑人女性青少年生子的「機會成本」要比三十年前高得多了。

上述分析並不是否認單親媽媽家庭高貧困率的事實。在本書撰寫期間，將近四〇%的單親媽媽的收入不夠生活所需。但她們的問題不在於單身，因為有很多人和男人同居。結婚可能改善狀況，但也未必如此，因為她們能遇到的男人收入都很低，有些還會施暴。這些男人是後工業時代最失敗的一群人。與其嫁給這種人，還不如暫時和可以負擔更多家計的男人同居來得聰明。

單親家庭的貧窮問題不是因為越來越多窮女人生出自己養不起的小孩。我已經強調過，女性生育率下降是普遍的趨勢，貧窮的女性也一樣。真正的問題在於，一定會有「一些」女性生出自己養不起的小孩。有些人是自己不小心或不負責任，有些人雖然有事先計畫但運氣不好，也有人遇人不淑，或是成爲不可預測的經濟的犧牲品。

基本現實是，低收入女性根本養不起自己和小孩，就算有一個低收入男人和她共同分擔也一樣。美國在一九九六年取消福利津貼只是讓這些窮苦的母親比較「不依賴」政府，卻沒有讓她們脫離貧窮。雖然單親媽媽的就業率從那時起提高了，很多人現在都有工作，但貧困的情況還是沒有改變。大多數拿福利金的窮人現在成了有工作的窮人。如果你讀這本書時經濟情勢已經變壞了，問題會更嚴重。

簡而言之，眞正的問題與其說是美國家庭的「道德危機」，不如說是新經濟的工作報酬和結構與小孩的需求有嚴重落差。很多男人的所得無法達到社會平均生活水準，也達不到自己的期望。越來越多工作要求投入更多時間和精力，收入卻不可預測。但小孩的需求是不變的。這個基本落差讓很多女人少生、晚生或乾脆不生小孩——不是因爲女人（或男人）變得不愛小孩或不想照顧小孩，而是因爲小孩無法配合新經濟的需求。經濟體制和時機不同，小孩受歡迎的程度也會不同。

不過大部分女性還是會生兒育女，其中多數是職業婦女。有些人的子女還非常幼小。在二十世紀中期，有六歲以下子女的母親只有一五％在工作。隨著經濟轉型，這個比例在一九七〇年代升高到三九％，到二十世紀末則高達六五％。而這個比例還會持續升高。

附帶一提的是，這個趨勢可以解釋爲什麼美國大眾不再同情拿福利津貼而不工作的貧困母親。二十世紀中期的社會規範期待母親在家照顧幼兒，有丈夫的靠丈夫，單身的就靠社會福利津貼。二十世紀末的社會規範則期待有幼兒的母親出外工作。於是人們會質疑爲什麼很窮的母親可以拿政府津貼在家養小孩，沒有窮到可以領津貼但也非常困苦的母親卻得在外工作？沒有人能回答這個問題。由於美國人不想全都補助（有些歐洲國家是如此），所以就乾脆全都不補助。

外包家庭

一七七六年時，亞當・史密斯看到散布在蘇格蘭高地的孤立農家必須自給自足的不便，並用這些貧苦的家庭來說明分工的好處。我們現在正在把亞當・史密斯的基本經濟原理以前所未有的方式運用在家庭生活上。所有家務都外包給專家，從煮飯、打掃、照顧小孩到溜狗。

家庭在決定是否把某項家務外包時，和企業決定是否外包某項業務所考慮的因素一模一樣：承包者是不是能和家庭成員自己做得一樣好，而且更便宜？由於家庭成員在家務以外的主要工作是賺錢，因此做家務的機會成本是每小時工作的稅後所得，加上工作帶來的心理滿足感，以及工作機會消失的可能性，還有人脈關係和信譽的可能損失。如果外包的利益大於這些機會成本的總和，你就會選擇外包。

家庭一直在做這些計算。計算方法也許不是很有系統，但一定會考慮到相對成本和利益。由於男女的工作都比以前辛苦，外包出去的家務也就越來越多。一九九六年時，餐廳外賣的營業額比內用還高。一九九七年，人們花在外賣和餐館的支出高於在食品雜貨店的支出。超市供應的熟食也越來越多，包括烤雞、濃湯、煎鮭魚、煮蔬菜和料理鍋等等。你也可以用電話、傳眞或網路來訂菜。

亞特蘭大的「女佣服務團」（Maid Brigade）十年來每年成長率都超過二〇%，有八〇%的客戶是職業婦女。只要付一點會員費，Streamline（www.streamline.com）就會在你家車庫放一個內有冷藏裝置與防盜系統的大箱子，不管你在不在家都可以收送換洗衣物、錄影帶、雜貨、藥品或其他任何東西。Streamline的行銷主管說：「家庭就像公司一樣，也要把和供應商的關係最佳化。」Streamline尚未提供接送小孩上鋼琴課的服務（箱子對小孩來說太悶了），但有別家公司在做。很多家庭就是靠私人客車接送小孩。曼哈頓有一間高級公寓提供「代理父母」的服務，代理父親或母親會「告訴孩子奶昔放在哪裡、安排看醫生的時間、訂辣妹合唱團的演唱會門票」。

我小時候過生日，媽媽都會用小麥、糖等基本原料幫我做蛋糕。等到我妹妹出生以後，媽媽已經改用蛋糕調理粉。到我小孩過生日的時候，我和我太太都是訂蛋糕，上面寫好了祝賀詞。現在有很多父母乾脆把小孩的生日派對包給餐廳去做。這些餐廳不但提供蛋糕，還提供汽球、派對贈品和遊戲，連最重要的管理和清潔工作都一手包辦。只要多付一點錢，他們還可以找來小丑表演，甚至請人來拍錄影帶。而在派對進行中，父母可以抽身去檢查電話留言。

鍍金時代（Gilded Age，編按：指美國南北戰爭後三十五年間的經濟繁榮期）的上流家庭有自己的女佣、司機、廚師、園丁和保母，因爲他們有很多錢可用來買優閒。現代的高收入家庭同樣有一堆佣人。「在我家幫我做事的人比在公司還多。」芝加哥萬恩銀行（Bank One）的首席經濟學家史汪克（Diane Swonk）說，她有女佣、保母、廚師和園丁。「我自己就是一間小公司。」不同的是，這些人花錢買的不是優閒，而是更多的工作時間。他們認爲自己的工作收入高於外包支出。

到目前爲止，最大的家庭外包項目是照顧小孩。美國絕大多數五歲以下的小孩（超過一千萬人）需要在父母上班時托人照顧。其中四四%由親人照顧，包括年紀較大的兄姐，三〇%送到托兒所，一五%送到別人家裡，剩下的就交給保母或鄰居。這種不一致的托兒方式使很多小孩沒有受到足夠呵護，但如下一章會詳細談到的，市場是以有效率的方式在運作。個人看護的程度和品質完全視價格高低而定。

在這個問題上，公眾的態度也隨著經濟轉型而改變。在有小孩的女性還沒有完全進入職場的一九七〇年代，大多數成年人認爲職業婦女無法像不工作的婦女一樣「與小孩建立溫暖而安全的關係」。但到了一九九〇年代末，超過三分之二的人認爲可以。

家庭也把照顧老人的工作（這是女人另一項傳統家務）外包給看護所、養老院和個人看護。有些家庭甚至把夫妻之間應該互相提供的服務也外包，使得按摩治療師、健身教練、法律顧問、精神導師和心理醫師大行其道。

如果這些照顧、修理、接送、煮飯、打掃和生日派對的工作都由家庭成員自己來做，它們不會被算進「國民生產毛額」，因爲錢並沒有轉手。女性的家務工作從來沒有算入國民所得帳。但隨著家務不斷外包，這些工作成了新興成長的行業，國民生產毛額也跟著擴大。事實上還會產生乘數效果：很多靠這些外包工作爲生的人（大多數是女性）也把自己部分的家庭工作外包給別人。

當我母親幫我做生日蛋糕時，她的勞動只對經濟統計數字有間接影響，因爲她買的原料只稍微增加農產品的零售額。當她改用調理粉幫我妹妹做蛋糕時，則爲國民生產毛額中的「加工食品」項目增加一點金額。我幫兒子買的蛋糕又把蛋糕師傅的勞動力加進美國服務業的統計數字中。外包生日派對爲美國服務業加進更多數字，包括派對企劃人員、服務生、小丑和錄影帶拍攝人員。每一個經濟階段都代表更大的繁榮，雖然蛋糕品質沒什麼特別改進。

還剩下什麼？

「家庭」的法律定義含有四個理所當然的標準：家庭成員應該一輩子相互扶持，應該在同一個屋簷下花很多時間在一起，應該生育並撫養下一代長大成人，應該在財務或心理上互相支持。

大多數家庭仍然符合這四個標準，只是程度已經降低。所有趨勢也都和這些標準背道而馳，主要原因是工作報酬和結構的變遷。家人的關係變得短暫、相聚的時間越來越少、生育率越來越低、夫妻之間的金錢往來越來越少，照顧和看護工作也不斷外包出去。如果這些趨勢持續下去，未來家庭的定義將會完全不同。

這不一定是什麼大問題。這不正是人們「想要」的家庭生活嗎？至少在表面上人們是這樣選擇的，而且他們對理想家庭的態度也隨著這些選擇而改變。但是緊張和壓力仍然存在，比方說要找到合適的托兒所和養老院就很令人苦惱。很多人說他們想在工作和家庭之間求取更好的平衡，但整體來看，他們是在縮減家庭規模和外包家務來適應新經濟。

經濟和科技的力量不能解釋一切，我們不能把有關家庭的變化都歸功或歸咎於它們。無疑地，文化變遷也發揮一定的作用。但是家庭結構和人們對家庭態度的轉變與經濟體系從一九七〇年代以來的變遷有高度的吻合。舊式的大規模生產體系使多數男性有穩定的工作和薪水，而女性的工作機會相當稀少。不斷創新的新經濟體系則使每年甚至每月的收入都難以預期，拉大了所得差距，迫使人們投入更多時間和精力在工作上。

不可否認，新經濟帶給消費者和投資者很多好處。我們有更多選擇，更容易找到更好的交易。我們的財富增加，生產力也提高了。新經濟也讓有才幹的女人（和男人）有機會賺更多錢，幾乎所有女人都可以不再靠男人養家活口。

按照新經濟的邏輯，人們有關家庭的選擇是完全合乎理性的。但人們還有一個更基本的選擇從未面對，一個更基本的問題從未提出：如果我們完全理解家庭生活會受到的影響，我們還會毫不保留地接受現實嗎？也就是說，新經濟眞的值得讓我們改變生活方式嗎？

9 花錢買關心

我們處理的是最根本的問題：你的人生。摩根（J. P. Morgan）的私人銀行不只呵護和管理你的財產，也在每個財富層面爲你提供引導，這才是眞正的人生管理。

——廣告詞，二〇〇〇年三月

目前的工作結構與報酬結構使個人照護業蓬勃發展。個人照護業占國民生產毛額的比例越來越重，占個人支出的比例也越來越高。照護業是發展最快的行業，他們照顧小孩、老人、殘障人士，還有很多明明很健康但願意花錢去買照顧的人。

照護業的成長有兩大原因。第一個原因是人們的工作越來越辛苦，越來越多家務必須外包出去，而這些家務多半和照護有關。第二個原因是機器的生產力提高，例如工廠裡的電腦化儀器和機器人、自動存提款機、自動加油機、電話答錄機和各式各樣的電子裝置。但真人的關心是機器做不到的（也許有一天，機器人也可以讓人有被關心的感覺，但我認爲機會不大），所以很多人在工作被高效能的機器取代後開始從事個人照護，這種人以後也會越來越多。

與人接觸的重要性

在很多事情上，人不一定做得比機器好。如果要存提款，我寧願和自動存提款機而不和銀行行員打交道。這些機器不但二十四小時服務，也不用對它表示禮貌或跟它說話。我寧願把有限的社交精力花在更重要的場合。我也喜歡二十四小時的自動加油機，因爲它們既快速又便宜。

不過也有一些事情由人來做會讓人感到比較愉快。我喜歡在餐廳看到服務生爲我忙得團團轉，討厭到大百貨公司卻找不到店員。人類渴望被他人關注甚至遠多於此。事實上，科學家認爲人類要有某種被關心的感覺才能維持健康。法國心理分析學家史畢茲（René Spitz）在一九四〇年代針對兩組嬰兒做比較。第一組嬰兒出生後頭幾個月住在孤兒院，護士會提供充分的營養與保暖，但沒有時間給予個別關心；第二組嬰兒則住在自己家裡，可以得到母親一對一的照護。結果史畢茲發現只有第二組的嬰兒能正常發育。哈佛大學的卡爾森（Mary Carlson）以史畢茲的成果爲基礎做進一步研究。她以羅馬尼亞孤兒院的嬰兒爲對象，這些嬰兒接受充足的醫療和營養，但受到的個別照顧很少。身爲神經學家，卡爾森最注意的是這些嬰兒的大腦會受到何種影響。她發現這些嬰兒在心理和生理上都有障礙，會有重複性的肢體動作，就像與猴群隔絕的小猴子一樣。

肢體接觸似乎是非常重要的一環。有一項研究針對兩組未發育的嬰兒，第一組嬰兒被放在保育器裡，營養和溫度都很足夠，第二組嬰兒則有更多照顧：在十天之內，護士每天三次透過保育器的圓孔伸手去幫嬰兒按摩。結果第二組嬰兒的體重要比第一組多四七％，而且提早六天離開保育器。一年以後，第二組嬰兒還是比第一組重，心智和肢體運動的測驗成績也比較高。

個人照護似乎也有助於成人的健康。流行病學家做過一項很龐大的研究，在一九六五到一九七四年之間追蹤加州阿拉美達地區四千名住院老人。研究者在一開始把這些老人按照健康情況和收入分組，接下來九年中，與朋友、配偶或家人的關係比較薄弱的老人的死亡率要高出其他人三倍，這種情況在每一組都一樣。另一項以超過一千名老人爲樣本的研究發現，親友探望和參加聚會的頻率是預測老人身心狀況最重要的兩項指標；與人接觸和參加聚會的頻率越高，老人的健康狀況越好。還有一項由麥克阿瑟基金會資助的研究，每兩年半測試一群老人的動作靈敏性和協調性。研究者同樣發現他人的關心和照顧是預測身體狀況的最佳指標。

卡內基美隆大學曾研究網路對使用者的心理影響。研究者在匹茲堡地區隨機抽樣一百六十九人，追蹤其行爲一到兩年後發現，上網時間越長，人會變得越沮喪和孤獨。這個結果不但讓研究者大爲震驚，贊助這項研究的電腦和軟體公司亦然，因爲與他們期待的結果正好相反。既然網路讓人更容易用電子郵件和聊天室跟別人溝通，研究者原本以爲網路會創造比面對面接觸更豐富的關係網，從而更有益於心理健康。在研究過程中，受測者表示他們確實使用了電子郵件和聊天室，但是上網時間越多，和家人、朋友的直接互動就越少。所以，雖然與人互動的「量」不變或增加，關係的「質」卻下降了。卡內基美隆大學「人類與電腦互動研究中心」的社會心理學家克勞特（Robert Kraut）說：「我們的假設是，如果你建立的是空洞的關係，與他人的聯繫就會減少。缺乏面對面接觸的遠距離關係不能提供支持和互惠的感覺，無法進一步產生心理安全和幸福。」

沒有人知道直接接觸對身心健康爲什麼這麼重要。研究大腦的神經學家則提出一些猜測。他人的關心會使製造壓力的荷爾蒙減少分泌，特別是腎上腺素、正腎上腺素和腎上腺皮質素。在被撫摸的嬰兒的尿液中，這些壓力荷爾蒙的含量比較少。在麥克阿瑟基金會對老人所做的研究中，經常與他人接觸和受關注的老人的尿液也含有比較少的腎上腺素、正腎上腺素和腎上腺皮質素。

與他人接觸可以降低壓力，從演化的角度來看並不值得驚訝。人類是在家族中演化的，受到家族的保護並分享資源。大腦中的原始部分可能還記得孤立或無法與人接觸的狀態就表示危險，而被關心則表示安全。

在二十一世紀初，需要受人關心已成了大問題，因為現代人無法給予或受到足夠的關心，新的工作型態占去太多時間和精力。所以人們應該怎麼辦？目前的做法是，花錢買關心。

關心的價格

美國有超過三百萬人、歐洲有超過一百萬人每天坐在自己的小辦公隔間，頭戴耳機瞪著電腦螢幕，回答一大堆關於電子用品、退休金、信用卡、銀行帳戶、保險、網路購物或家庭糾紛的問題。在美國辛辛那提、英國里茲和德國德勒斯登這些藍領工作已經消失的城市中，電話服務中心、支援服務和客服熱線的工作數目都在快速成長。

爲什麼企業要以每通電話五美元的價錢請人做這些客服工作，而不使用每通只要五十美分且答案不變的自動語音系統，也不使用平均成本只有幾毛錢、只需要客戶用鍵盤輸入問題和意見的網路服務呢？因爲友善的眞人語音可以建立客戶的忠誠度。AT&T消費產品管理副總裁麥納理（Howard McNally）在談到AT&T最新的「○—○求助熱線」時說：「我們這套新服務系統和傳統的生產力概念無關，而是要以個人化的服務來創造競爭優勢。」

但企業除了雇人做客服工作，也同時在發明省錢的服務方法。可以斷定的是，企業在未來幾年內就能區隔願意花大錢買更多關心的消費者和只願意付小錢買自動語音或網路服務的消費者。也就是說，消費者被關心的程度由支付的價格來決定。

我們可以將這種現象想成一個由價格決定的關心等級表。最便宜的關心不需要由人付出，只包括一些拼拼湊湊的網路資訊。多付一點錢，你可以得到語音自動服務，甚至有眞人立體音效。再多付一點錢，就會有眞人接你的電話，但時間只有幾分鐘。多付更多錢，客服中心就會花時間調出你的個人資料，進行資料庫比對，不但給你有用的資訊，也讓你有受到特別照顧的感覺。如果再多付一些錢，客服人員便會親自登門拜訪。花的錢更多，你就會打從心底覺得被寵愛。

美林證券正忙著將關心分等級。資產不到十萬美元的客戶只能從電話客服中心聽到簡單標準的答案，而美林的高級理財顧問可以把時間花在佣金比較高的大戶身上。不久之前，美林證券長島分公司的主管以一封電子郵件向員工坦率地說明新政策：「如果我們要做有錢人和成功企業的理財顧問，就沒有時間去服務窮人……要記住……只有大戶才是我們的獵物。」「如果有哪個理財顧問還想服務小客戶，請告訴我，我會把你介紹到投資人服務部，讓你能盡情和窮人打交道。」

這些「有錢人和成功者」能得到什麼呢？一部分是爲個人量身訂做的建議和諮詢，而大部分是個人的關心——讓人心安的聲音、熟悉而可能值得信賴的朋友。在十九世紀末的鍍金時代，奢侈意味著擁有Waterford水晶、Wedgwood瓷器和一大堆佣人。身懷巨富的人用「炫耀性消費」（維伯倫〔Thorstein Veblen〕的名言）來展示地位，不斷證明自己有不事生產和無限優閒的能力。相反地，現在的富人有錢卻沒有時間，所以他們用另一種方式來展現奢侈：花錢買精緻的個人照護，讓忙亂的生活盡量愉悅和有效率。而錢比較少的人也可以利用效率更高的科技來滿足需求，只是比較欠缺人情味。

三十八歲的管理顧問米雪・塞隆（Michelle Siron）由司機開著路華休旅車從倫敦的旅館接送到希斯洛機場。機場服務員在她還沒下車前就幫她辦好登機手續，服侍她到私人候機室享受紅茶和燻鮭魚三明治，同時一邊做頭髮。登機後也有人幫她修指甲和按摩，空服員會滿足她任何要求。米雪說：「這眞能紓解長途飛行的壓力。」（這是眞人眞事）

另一方面，買折扣機票的珍妮佛得在嘈雜擁擠的希斯洛機場推著行李車，在劃位櫃台排隊一個小時，再到塞滿人的候機室找張塑膠椅坐著等飛機，最後擠進飛機後艙的窄小座位。忙碌的空服員丟給她一塊小點心後就不見蹤影。經過六個小時後抵達目的地，還得花一個小時等行李。這趟旅行結束時，珍妮佛的壓力荷爾蒙一定很高。

但珍妮佛沒有理由抱怨。她花的錢比米雪少多了。事實上，這可能還是珍妮佛買機票最省的一次。航空公司的競爭壓力越來越大，必須削價爭取預算有限的旅客，而省油的引擎、先進的航空動力學、電腦化訂位系統等新科技也讓航空公司有能力這麼做。但珍妮佛受到的個人服務可能比以前少很多，因爲她和其他預算有限的旅客一樣，重視省錢甚於受關心。珍妮佛選擇省錢，所以她受到的關心就比較少。

「『出多少拿多少』的原則在美國和全世界都適用。」環球航空（TWA）的執行副總裁唐納・凱西（Donald Casey）在解釋該公司新策略時說。環球航空和其他航空公司一樣增加商務艙的服務」——更多的空服員、候機室服務員、服務形式、個人設備、關心。但多數航空公司並不因此增加人員，而是分配更多現有人員給付得起錢的旅客。

航空公司重視米雪這種商務艙旅客的原因很簡單，和美林證券要員工注重大戶的理由一樣：這樣才能創造營收。在一九九九年，頂級商務艙旅客只占全部旅客的九%，卻提供了四四%的營收。因此，雖然航空公司會以折扣戰來競爭珍妮佛這種預算有限的旅客，但也同時在爭取米雪這種願意花錢買關心的人。

只要世界上有米雪這種人，就會有人高價提供服務。只要有珍妮佛這種寧願省錢的人，折扣機票的價格就會越來越低。米雪會得到更奢侈的個人服務，珍妮佛則會得到人情味越來越少的先進科技的好處。米雪和珍妮佛所購買的實際上是不同的產品：珍妮佛只是要到達目的地，米雪則不但要到達目的地，還要一路受寵愛。

順便一提的是，米雪這趟豪華旅程並不是自己掏腰包。由於這是一趟商務旅行，所以部分費用會由客戶負擔（如果是公開上市公司，就是由股東負擔），另一部分費用則由其他納稅人負擔（公司會將營運成本列入納稅扣除額，差額就由納稅人來彌補）。雖然米雪旅行是為了生意而不是享受，但她確實一路受到關照。住五星級飯店、陪客戶在貴賓包廂看世界棒球大賽、和供應商在豪華餐廳吃飯，這些都是不用繳稅的額外享受。只要能吸引和留住人才、大戶和可靠的供應商，公司就願意付這些錢，何況還有其他納稅人幫忙買單。

花錢受寵愛

在一個科技進步而時間不足的世界，奢侈的本質就是讓別人在你身上花時間：有親切的旅館職員親自幫你打點住宿事宜，有服務員為你送上鮮花、折好毛巾、膨鬆枕頭、擺好純棉睡袍和絨毛拖鞋、在你上床前詢問你還需要什麼服務，早上是以真人而非語音叫你起床。奢侈就是餐廳經理不但認識你，還帶你到你最喜歡的座位，有服務生殷勤地招待，還有專業調酒師建議你該喝哪一種酒、主廚會準備好你最愛的菜餚。奢侈就是公寓門房勤快地送上你的包裹，順便問候你的家人。

最精緻也最昂貴的寵愛是以密友的形式出現。亞特蘭大購物中心時裝店的老闆卡林斯基（Jeffrey Kalinsky）會根據客戶品味來挑衣服，再送去讓客戶試穿。他還會寫條子建議客戶該怎麼搭配新買的衣服，會在三更半夜接客戶的緊急電話，會買禮物送老主顧，甚至陪客戶到歐洲看時裝秀。很多客戶便專誠從紐約飛到亞特蘭大來探訪卡林斯基。「他會鼓勵你嘗試新東西。他太有眼光了。」一位客戶感動地說。卡林斯基也訓練旗下二十八名員工做同樣的事，把侍候人的藝術提升到完美的境界。

如果你是那種每個月花幾百美元請生涯規劃教練的人，我敢打賭你想要的絕不只是建議，而是一個全心全意爲你好的人，一個可以只爲你而存在的朋友，因爲你眞正的朋友都太忙了。生涯規劃教練協會的廣告詞便說：「朋友樂、樂無窮！但你的好友是個可以在生活和事業上全面與你合作的專家嗎？」如果你雇用一名生涯規劃教練，你可以「兩者兼得——好友兼教練」。

這些「好友」別有企圖，但人們照樣喜歡。休士頓的教練大學創始人湯瑪斯．里奧納多（Thomas Leonard）說，從一九九〇年代初開始，生涯規劃教練人數每年都以倍數增加。明尼蘇達州的薇拉・奧森（Valerie Olson）的年薪高達六位數，她有三十個客戶，每人每月上四次半小時的課，月費兩百五十美元。她表示：「教練要以極爲人性的關係，完全遵照客戶的需求。」他們不去分析客戶的心理，只是傾聽、同情、給予百分之百的關心。

除了生涯規劃教練之外，個人法律顧問、精神導師、心靈顧問和心理治療師的人數也快速成長。柯林頓在白宮時就請過好幾位心靈顧問，但據我所知他並不看心理治療師。這也許是因爲生涯規劃教練、法律顧問、精神導師之類的人比較容易被社會接受（大多數人不一定能找到朋友或家人私下傾訴），但去看心理治療師會被認爲心理有「問題」。

幾年前，健康溫泉還是有閒度長假者才會去的地方。他們泡著硫礦溫泉，呼吸充滿松香的空氣，在森林小徑中優閒漫步。但有錢去這種地方的人現在已經沒時間去了，只有被人照顧的需求依然存在。這可以解釋爲什麼都市中的水療中心越來越多，有大批專業人員照料這些緊張的有錢人。健身教練人數在一九九〇年代增加了一倍，現在已超過十萬人，加上按摩師、指壓師、美髮師、修指甲師、油壓師、有氧運動老師，這些人足夠組成一支軍隊。

「寵愛自己」是最新的流行語，意思是如果你付得起錢，你就應該去買這些服務。眞正被買賣的商品既不是運動（你自己在家裡就可以運動）、也不是建議（你可以從網上和書上得到建議），而是一種被人寵愛的快感。

還記得嬰兒對按摩的反應嗎？當身體被拍打、被撫摸、被擁抱的時候，壓力荷爾蒙就會減少，就跟受人全心全意照顧一樣。矽谷的高階主管在開會時，加州紅木市「太平洋運動俱樂部」的人員會飛去幫他們馬殺雞。紐約的「銳跑運動俱樂部」或「伊莉莎伯雅頓美容院」可以在你的衣物快速乾洗時，將你服侍得通體舒暢：你可以選擇「海洋水療修趾館」（足部美容）、「芳香鹽療館」（用粗鹽按摩全身，再擦潤膚乳）、「雙氧治療館」（先用α氫氧基酸清潔面部、去角質、按摩，再吸氧氣十五分鐘以加速細胞新陳代謝）、「熱奶杏仁修趾館」（先把腳泡在一大盆熱牛奶裡，再用海鹽和杏仁油磨去死皮）或「薑汁按摩館」（用薑汁混合油摩擦手臂、腿部和背部，幫皮膚解毒並溫暖身體）。你還可以到紐約市西五十六大街的Felissimo幫小狗做芳香治療，「讓愛犬感到幸福快樂，對你熱烈回應」。

關係也是被買賣的商品之一，包括與健身教練的熟絡、與按摩師的友誼、與指壓師和泊車小弟的親密等等。洛杉磯「運動俱樂部」的營業主管菲利普．史旺說：「我們的會員可以和泊車員工建立親密關係，就像和健身教練一樣。這讓我們的服務更值得！」

受關愛或是受看管

忙碌的人通常缺乏時間和精力給家人足夠的關心，沒時間聽他們說話、和他們說話、幫他們按摩、讓他們覺得被照顧、被尊重、被愛、被承認。有些關心是可以買得到的，雖然關心你的人不是出於家庭義務而這麼做。出於家庭義務的關心也不一定比出於金錢的關心來得多。兩者都對人有益，也都可能被濫用。

當家裡付不起錢、政府或公司提供的保險津貼縮水時，關心是最先消失的東西。陽春的醫療內容意味著不乏科技器材，醫護人員的照料卻減少。事實上，目前美國的醫療體系正走向一種雙重體制：第一種是由病人直接向醫生購買時間和關心，第二種是由健保給付最低費用，讓醫生以最快的速度「修理」好病人。在第二種體制中，醫生（以及護士和護士助理）的收入是由一定時間內的看病人數所決定，不管病人感受如何。（女醫生普遍比男醫生願意多花時間照顧病人。最近一項研究顯示，男醫生大部分的看病時間不到十一分鐘，而女醫生有這種看病速度的只占三分之一。）

然而，關心並不是不必要的服務。本章開頭提到的幾項研究顯示，照護關係對病人、殘障者、老人和幼兒（也許所有人）的生理和心理都非常有益。如果缺乏這種關係，健康情況便可能惡化。社會學者戴蒙（Timothy Diamond）曾講過一個故事：療養院的夜班護士去檢查一位八十七歲住院者的病況，問她：「蘿絲，有什麼事我可以幫你做嗎？」「有，」蘿絲說：「留下來陪我。」這名護士無法答應羅絲的要求，因爲他還有二十九位住院者要檢查。但蘿絲是眞的需要關心。如果沒有人陪，蘿絲的病況會惡化得更快。

療養院提供的是看管式的照料，不是眞正的關愛。看管式的照料只是讓那些無法獨自生活者安全活下去。關愛式的照料則是要和他們建立關係、把他們從孤獨的壓力解放出來、和他們互動，有時還要觸摸和擁抱他們。現代家庭經常掙扎著付出關心，但眞正的關愛仍近乎奢侈。

美國的老年人口每年增加二・七％，而這個比例在戰後嬰兒潮於二〇一一年滿六十五歲時將會暴增。對已經被新經濟壓迫得無法好好照顧小孩的家庭來說，這股老人潮將是更大的負擔。在日本這種青年人口數沒有增加的先進國家，老年人口的比例已經急遽升高。光是看管式的照料就非常困難了（你得幫他們洗澡、餵飯、清除褥瘡、扶他們起床、換尿片），給他們足夠的關愛更是一大挑戰。目前，美國政府負擔全美一百六十萬名養老院老人三分之二的費用，但幾乎不負擔長期家庭看護或社區老人日托服務的費用（這兩種方式除了提供單純的監護，也能讓朋友和家人付出關愛）。就算政府會負擔居家照護的費用，也只包含純醫療的部分。

很多小孩也和老人一樣缺乏關愛。看管式的照料比不上和孩子建立親密的關係。但這也可以花錢買。托兒所的花費每年四千到兩萬美元不等，而且品質高低相差很多。低廉的托兒所通常只提供一個安全的環境，保母要管很多小孩，訓練又不足，經常有人離職（因爲她們薪水很低又過度勞動）。所以在低廉托兒所的小孩很難和保母建立關係。而照料次數、品質和持續性的差異對小孩的未來可能有深遠的影響。

這種影響似乎會持續到長大成人。有一項研究針對北卡羅萊納州教堂山市一百一十一個貧窮黑人小孩，他們都可能因爲貧窮而學習不良，從高中就退學，然後生出下一代貧窮的小孩。這項研究始於一九七二年，當時這些小孩都還是嬰兒。其中五十七個被送到全天性的托兒所養育，直到五歲爲止。托兒所的保母給予足夠的關愛，會和孩子們建立穩固的關係。每個保母不會照顧太多小孩（例如每四個嬰兒或每七個四歲幼童有一位保母），她們受的訓練和公立學校老師一樣，也幾乎沒有人在這段時間離職。她們給每個小孩很多智識啓發和情感支持。另外五十四個小孩雖有足夠的營養，偶爾也有社工人員確定他們的健康和安全，但沒有人爲他們付出關愛。到了五歲以後，兩組小孩都上相同的幼稚園、小學和中學。

這項研究追蹤小孩到二十一歲。雖然他們在五歲以後的環境沒有差別，但到了二十一歲時，受關愛的那一組幾乎有三分之二在上大學或有一份收入不錯的工作，另一組只有四

○%。受關愛的那一組所費不貲，每個小孩每年要花一萬一千美元（以今天的幣值計算）。你可能會認爲這些錢很值得花，但殘酷的是大部分家庭負擔不起。

付不起錢是個問題，怎麼確定錢花得值得又是另一個問題。幼兒無法向父母抱怨待遇不好，老人、精神病患和智障者也是一樣。所以我們會時常發現養老院待遇惡劣的新聞。許多養老院是大型營利機構的一部分，托兒所也是。爲了讓股東有利可圖，營利機構會減少看護品質上的投資。於是最先進的托兒中心有一種新發明：在天花板和牆上放小型網路攝影機，父母可以在辦公室的電腦螢幕上開一個小視窗，整天都能看到孩子。

新的鴻溝

如果你（或你的小孩）沒有足夠的天分、學歷或人脈關係進入最具創意的行業（設計或出售發明、觀念、計畫、策略和眼光），你很有可能從事個人照護業，因爲這是發展最快的一行。但你得知道（如果你還不知道），大部分從事個人照護的人都賺不了多少錢。這有幾個原因。首先，個人照護本質上來說是生產力比較低的服務業。它必須一對一，必須花「時間」。以同樣的時間，軟體工程師、企管顧問或投資銀行家可以創造出影響千百人的產品或服務，而幼兒看護人員、護理人員或個人教練只能服務幾十個人。

其次，就算勞動市場緊俏，照護人員的供給量也從不低於需求量，薪資自然無法提高。雖然在某些領域偶爾會有人力短缺，例如護士或家庭看護，但總體供給量相當充裕。從事這一行的有些是為了補助家計的婦女，也有很多是合法或非法的新移民。有些人是做兼職以多賺點錢，也有不少是被新科技淘汰的接線生、銀行櫃員或零售人員。雖然個人照護業仍以婦女為主力，但也有越來越多的男性因工廠歇業而進入這一行。

最後一個原因是，個人照護業並不受社會尊重。它在傳統上是女性的工作，而且多數得不到報酬，男人、小孩和老人都能理所當然地免費獲得服務。女性也被認為有從事個人照護的義務。女性最早進入職場就是擔任護士、修女、教師、空服員等低工資的照護工作。黑人婦女則在中產家庭當女佣和奶媽來補貼家計。女性移民也大量進入這一行，尤其是來自發展中國家的婦女，她們依然是從事最繁重照護工作的一群人，包括把老人從床鋪抬上輪椅、清除褥瘡、清理便盆等等。

全美國有超過兩百萬人在養老院工作，擔任護理工、伙食工和清潔工。其中大部分是女性，薪水僅稍高於最低工資，二〇〇〇年的時薪介於七到八美元。此外，還有七十萬人在做家庭看護，照顧老人、病人和殘障者，其中也多數是女性，平均時薪八到十美元。另有一百三十萬人以同樣時薪在醫院當助手、病房雜役或看護人員。登記有案的護士則有兩百一十萬人，平均時薪十到二十五美元。美國勞工統計局預測這些工作人口將大幅增加，在未來十年中，每五個新工作就有一個產生自醫療服務業，大部分都和個人照護有關。

全美國從事幼兒照護的人數約爲兩百三十萬。其中有一半在托兒所工作，另一半在幼教中心當保母或助手。在一九九九年，他們的時薪約爲六．一七美元，而且通常沒有津貼，比殯葬工人的時薪七．一六美元和除蟲工人的時薪十．二五美元還低。從事幼兒照護的也大多是女性。

美國的社工人員有五十萬，還有二十多萬人被歸類爲「個人服務業」（human-service）。這些人的工作都是要照顧有嚴重問題的個人或家庭，平均時薪八到十五美元。然而，眞正在照料有心理疾病的人其實是警察，他們不是在冬夜把這些人從街上趕到收容所，就是以小案件爲由送進牢房、由獄卒看管。紐約和美國其他地方一樣，無家可歸和睡在大街上便算是犯罪，所以流浪漢不是住進收容所（許多收容所非常危險），就是被逮捕進監獄（許多監獄也非常危險）。

餐廳和旅館服務生的收入也很低，不過在高級場所可以拿到比較高的酬勞和小費。紐約Pierre飯店的清潔工起薪是每小時十一美元，最高可以賺到每小時十六美元，還有兩個星期年休和津貼。高級出租轎車司機的市場需求比較大，時薪有十到二十五美元。只有最低工資而主要靠小費的泊車小弟的人數也大量增加。在洛杉磯的電話簿裡，光是「泊車服務類」就有四十五項。

成長最快的職業還包括個人教練、有氧運動教練、健美教練、按摩治療師、修指甲師，以及一大堆替人體搓打推拿的專業人員，時薪介於十五到七十美元。專門照顧名人的高級訓練師或按摩師則可以賺得更多。這些工作都沒有津貼。此外，生涯規劃教練的人數也在快速增加，他們的收入要看客戶的滿意度而定。

在大規模生產的舊經濟中，製造汽車或電視機的人買得起自己的產品。亨利·福特曾說，給生產線上的工人每天五美元是非常合算的（這在當時算是高收入），如此一來他們就有能力買福特的T型車。同理，銀行行員、接線生和零售員也有能力上銀行、打電話和逛商店。

但千百萬名從事個人照護的人逐漸買不起自己出售的服務。所以他們只能選擇「陽春型」的服務，旅遊要打折、只買外賣食物、除非緊急否則不看病（因爲很多人付不起健保費）、小孩和老人只能靠親友幫忙照顧。他們去不起健身俱樂部、坐不起大轎車、吃不起豪華料理，連停車都要自己來。

這些人也無法在提供個人照護的地點附近找到住所，因爲房子太貴。在科羅拉多州斐爾市或猶他州公園市的度假村、餐廳或溫泉上班的人，他們住的地方遠到連老闆都會擔心。有一項調查顯示，在斐爾市工作的人平均時薪只有十美元，而想住在斐爾市，他們得做五份全職工作。「服務業要的是有朝氣又勤快的人，每天通勤一百哩來上班的人不可能做得好。」公園市一間度假村的顧問雷德曼說。我懷疑這些人眞的每天通勤一百哩，但交通問題確實很嚴重。在康乃迪克州的格林威治（平均房價一百一十萬美元）工作的園丁、醫療助理、按摩治療師和個人教練住在紐約的布朗克斯區，每天通勤上班。

鍍金時代上流家庭雇用的僕人也是來自外地，這些清潔婦和司機一輩子都買不起房子和車子。但是工業化逐漸改變這一切，大量生產的商品和標準化的服務有了廣大的市場，數量龐大的中產階級因此出現。這是現代資本主義最大的成就，它強化了美國的社會與經濟。

新經濟沒有讓我們走回頭路，卻似乎製造出新的社會鴻溝。大多數人的物質生活確實改善了，比方說，珍妮佛在二十年前不可能買到折扣機票，因爲航空公司的競爭沒有那麼激烈、科技沒有那麼進步到能使票價大幅下降。另一方面，越來越多人可以上網，就算是做家庭看護的人也能在家裡買到任何東西。但即使如此，個人照護的分配很有可能更不平均——買得起的人越得越多，買不起的人越得越少。

新經濟的工作結構與報酬結構讓人們更賣命工作，更急於出售自己，也使得家庭生活範圍越來越小。過去由配偶、父母和兒女所承擔的個人照護工作正在快速地市場化，能得到多少關心要看你付得起多少。諷刺的是，大多數賣關心的人都買不起關心。

10 社區如商品

比利叔叔（情緒激動到極點）：都怪瑪莉，喬治，都怪瑪莉！她跟一些人說你有麻煩，這些人就跑遍全鎮去湊錢。他們什麼都沒問，只是說：「如果喬治有麻煩需要幫忙，算我一份。」從來沒看過這種事。

——電影《風雲人物》腳本（一九四六年）

新經濟對生活造成的最後一個影響是在社區。社區過去的功能是彌補家庭的不足：以地方公立學校取代家教，以地方醫院取代家人看顧，社區圖書館和遊樂場也讓每個家庭能使用本來負擔不起的設施。一想到美國的「社區」，你就能描繪出一幅人人互相關照的景象：傳統的街坊巷弄、教會、志工、新英格蘭式的市鎮集會、勤勞樸實的人、義勇消防隊、慈善晚會。電影《風雲人物》的最後一幕正是美國夢的典型：正當喬治（吉米・史都華飾演）要絕望地放棄時，他發現還有鄰居能依靠，就像鄰居依靠他一樣。他們因共同的目標和友誼而聯繫在一起。

這幅景象和現在常聽到的感嘆「美國人沒有社區」實在是一大對比。美國人不再到處參加聚會，不認識隔壁鄰居，都是「自己玩自己的」。既然大多數人要更賣力工作，更拚命出售自己，沒有精力和鄰居打交道一點都不奇怪。

但美國人不是不再與別人發生關係。人們仍然緊密相連，在幼兒照護、老人照護、學校、醫療、保險、健身中心、證券公司、購物商場、娛樂設施、私人保全等一切無法獨自負擔的事物上互相聯繫。人們不是以過去參與者的姿態，而是以消費者的身分，集合眾人財力來達成最佳的交易。

通訊、運輸和資訊科技的進步擴大了商品和投資的選擇性，也擴大了聯繫對象和標的的選擇性。人們可以立刻拋棄一個社區，搬到另一個更好的社區。社區因此像個人照護一樣在商品化。人們出多少拿多少，不會多花一分錢。

新型態的團體

歷史上大部分時間裡，人們對於社區沒有多少選擇權。他們生在社區，通常也死在同一個社區。有些人會和社區決裂或被驅逐，但這種情況很少見。即使到了工業時代，大多數人還是聚集在大家庭之下，社區裡的人至少都住了一兩代以上。

這些社區提供其成員一定程度的安全和照顧，代價則是沈悶和沒有選擇機會。選擇社區的自由因此是非常重大的歷史成就。大多數美國人（以及其他先進國家的人）現在都能自由離開生長的社區。他們可以選擇與誰爲友，可以隨時轉換交往團體，不管是換到另一個住所、水療中心、健保體系還是托兒所。只要按一下滑鼠，也可以脫離一個網路社群。既然自主的選擇取代了隨機的命運，社區生活應該會更豐富、更和諧、更美滿。但爲什麼現實不是這麼回事？

其中一個原因是，舊社區的成員身分包含許多生活層面。雖然各社區的組織型態並不相同，但成員之間都有一大堆義務和利益關係，舉凡生產、防衛、照護、娛樂到精神生活都是。社區成員給其所當給，也得其所當得。

相較之下，新型態的社區只提供非常特定的利益。你只是根據自己的需求去挑選社區，是按自己的能力去加入最好的社區。由於離開太容易，而利益又太明確，新社區既不像舊社區那麼要求成員徹底奉獻，也不提供那種危急之際的唇齒相依感。你可以因爲同一家托兒所的關係而交到朋友，但你既不必過度暴露自己，也可以隨時結束友誼，別人也是一樣。

這就是眞相。由於選擇多、轉換非常容易，人們會和收入、能力、風險和需求相同的人聚在一起。一個人的住所跟收入多少越來越有關係。在新經濟中最失敗的人（即收入減少最多、工作朝不保夕的人）因此會住在同一個窮社區。他們的學校是最爛的，醫療設施很少，保險費也非常高。就算集合大家的資源也負擔不起優質的托兒服務。這種篩選過程已運作了好幾年，效率甚至越來越高，而被篩選到最差社區的人都是那些最需要幫助的人。

篩選機制

要瞭解現況，你必須瞭解篩選機制。在其他條件不變下，一個人進入一個社區就是想要有最好的住宿品質和服務、最友善的鄰居、最崇高的聲望，就像投資要有最高報酬率一樣。社區內原有成員也期望新成員提供最好的回饋，至少要有對等的貢獻。除非要做慈善事業，你沒理由加入一個其他人都比你需要幫助的社區，因爲你到頭來得補貼他們。沒有任何團體笨到去吸收會成爲累贅的人。

我有一個朋友最近在加州大學洛杉磯分校找到工作，他太太也進入洛杉磯市中心一家證券公司。他們希望能找到一個距兩人工作地點都只要五十分鐘的住所。目標縮小之後，他們看過好幾個公寓和住宅區，最後找到一間在預算範圍內品質最好的公寓，附有警衛、維護人員、遊樂設施和寬頻網路，社區周圍安全且美麗，還有一所很好的小學可供女兒就讀。他們做決定時自然會考慮到公寓的價格、管理月費和地方稅，但他們並不指望社區內不要有窮人（窮人的子女可能在學校需要課後輔導，窮人家庭要花用很多社會支出，其他人因此得付更高的地方稅），也沒有刻意要找一個窮人住不起的地方。他們只想在能力範圍內買到最好的東西。而他們面對的資訊和選擇都很多（有稅率不同的小鎮，和月費不同的私人住宅區）。

選擇越多、轉換越容易，篩選機制的效率就越高。每個人都想進入最好的團體，不只是最好的城市和最好的私人住宅區，也包括最好的大學、小學、中學、托兒所、養老院、共保組織和公司。而這些團體也競相招收最好的成員——貢獻最多、要求最少的人。結果，全國甚或全世界最好的人事物都聚在一起，貢獻不高、要求太多的人便被排除在外。次好的人事物也聚在一塊，同樣排除異類。其餘可依此類推。

我故意誇張成冷血計算的樣子（實情並非如此），只是為了闡明社會運作的邏輯。隨著選擇性越來越大、資訊越來越多、轉換越來越容易，這個運作邏輯就會越來越顯著。沒有人刻意推動這樣的篩選機制，它是眾多的個人理性決策的結果。

住處的篩選

再從我那個要找房子的朋友談起。當社區和其他商品一樣在市場上流通，買方就越容易買到想要的房子，賣方也有更強的意願去出售。

「私人」住宅區（這是美國房屋市場成長最快的部分）的服務是由住戶繳費負擔。斐爾市這種「公共」市區的服務則由地方財產稅負擔。但不管是私人或公共，基本上都有相同的篩選機制。私人住宅區用高房價、高會費和房間數來排除那些需要很多學校和社會支出、小孩吵鬧甚至會犯罪的大家庭。高級市區則規定每棟房子占地至少二到四英畝，也不准多個家庭共住。斐爾市儘管欠缺勞動力，居民也不願出現低價住宅而破壞房價。低收入者只能住到洪氾區的舊採石場，離市中心有四十五哩。

抗繳州稅和地方稅的「市民運動」便是由私人屋主所發起，因為他們覺得自己的社區自給自足，沒有道理付錢補助社區外的人。一九九〇年，新澤西州議會決議把垃圾徵收費、掃雪費、街燈費和其他公共設施的費用退還給私人社區居民，因為這些人已經在自己社區付過費了。也就是說，屋主們只要自己付自己的，不再補助其他社區。

私人住宅區會為了更有效篩選居民而轉變為公共市鎮，反之亦然。一九九九年三月二十四日，加州橘郡的休閒世界退休村從封閉性社區變更為新市鎮——拉古納森林鎮，居民平均年齡為七十七歲。如此一來，居民就只須負擔市區的游泳池、網球場、騎馬場和草坪維護的費用，不用補貼其他地方用在兒童身上的學校和社會支出。

我曾經把這種現象稱為「成功者的脫離」，但近年來，這種篩選機制也蔓延到低收入階層。隨著有子女家庭數的減少與老年人的增加，有越來越多學區聚集了眾多高齡人口，這些人只想少繳稅，學校再爛都無所謂。同時，美國有很多城市出現中產階級和企業老闆所組成的「特區」，這些人願意為垃圾收取、環境清潔和警察多付一點錢，但這些錢只能用在特區內。因此，封閉性的社區越來越封閉，甚至在不久的將來，所有住家、學校、商店和辦公室都會連成一個巨型的高速網絡，讓老師與家長、企業與員工、居民與公務員之間更容易聯繫。以前只有大富人家住在封閉型社區，現在的中產家庭也紛紛搬入。一九七〇年時，美國的警察人數多於私人保全人數，但現在後者已是前者的三倍，在加州更高達四倍。

中產家庭的脫離也使得美國的種族隔離更加嚴重。黑人與白人在校同班的機率在一九九〇年代下降，各大都會區都能看到這種趨勢。在九〇年代初，芝加哥市大概有一〇％的住宅區不排斥各族居住（黑人家庭占一〇到五〇％），到九〇年代中期已經不到三％。

學校的篩選

當受教育的報酬越來越高，父母就會在能力範圍內盡量爲子女找到最好的教育。最好的學校環境是同學都一樣聰明、一樣用功，不會因爲愛找麻煩或需要特別輔導而耗盡老師有限的關心。

每個家長都知道，學生容易受同儕影響。如果孩子的同班同學能進大學，他也很有可能進大學。不論學生本身的能力如何，如果同儕團體的平均能力比自己高，成績就會比較好；平均能力比自己低，成績就會比較差。但這兩種關係並不對稱：能力較差的學生被好同學拉高的程度要比能力較高的學生被壞同學拖累的程度爲大。最新證據則顯示，學童不只受學校同儕的影響，居住社區也有很大的關係。一項抽樣研究指出，市中心的貧戶如果把住宅補助券用來搬到高收入的郊區，子女行爲會有明顯的改善。

學校和其他地方一樣，篩選機制越來越強大。有錢有心的家長會選擇一流的私立學校或公立學校。這些學校都在貴族式的郊區，惹是生非的學生很容易被剔除，成績不好的學生也會被排擠（上流社區好學校的「學費」本來就包含在房價和財產稅裡面）。家長也可能選擇公立的「特許學校」（charter school），這種學校選擇學生的空間比一般公立學校大。在美國多數州，特許學校不能明目張膽地開除學生，但可以用某些方式刁難，例如不收有學習障礙的學生、只收附近上流社區的學生等等。

這可以解釋爲什麼在法院判決富有學區必須補助貧困學區之後，私人的「家長基金會」忽然多了起來。這些家長爲了不想多繳稅，會將錢捐給這些慈善機構，爲住家學區留住更多經費。在美國一萬四千個學區中，大約一二%有這種基金會贊助，贊助項目從新的大禮堂（如馬里蘭州的包伊市）到高科技氣象站和語言藝術課程（如麻州的牛頓市）都有。《華爾街日報》曾報導：「家長基金會證明了家長只想把錢用在自己孩子身上。」進一步而言，他們不想把錢花在更有需要的孩子身上。

在這種篩選之下，家裡窮而需要好老師關心的孩子得擠在資源不足的學校。這就是爲什麼貧窮社區的父母喜歡學校補助券，因爲他們至少可以用補助券將自己的小孩和壞學生分開。採用補助券制度的學校也有較大的自由去開除特別頑劣的學生。教會學校一向有這種自由，所以上教會學校的窮小孩的成績要比上公立學校的窮小孩來得好。另一方面，越來越多學校採取「絕不寬貸」的政策，壞學生被開除因此越來越普遍。這些小孩上哪去呢？他們都聚在教育體系的最底層——少年監護學校。如果實在冥頑不靈，就會被送到少年拘留所。整個篩選機制於焉完備。

這樣的教育體系不是被設計出來的。家長們只是盡可能利用私立學校、一流公立學校、特許學校、地方基金會或學校補助券讓小孩受最好的教育，並非有意排除受教成本太高的小孩。但這些個人選擇確實匯成了大規模的篩選機制，而且一旦展開，便會自行運作。最明顯的就是加州。在一九六〇年代，加州對每個學生的公共支出是美國各州最高的，學校體系也最完善，現在卻是支出最少、學校體系最差的一州。當加州居民按貧富來區隔社區，窮人區的學校便開始每況愈下。自從一九七八年通過「第十三條款」以規定地方財產稅上限，而法院判決每個學區的支出應該相等，加州便開始匯集全州的教育基金，將稅金從富裕的市鎮移轉給貧窮的市鎮。這降低了有錢家長選擇富裕市鎮居住與就學的誘因，所以他們開始把小孩往私立學校送，不再支持公立學校體系。結果整體的教育公共支出下降，幾乎所有公立學校的品質都開始下滑。

在新經濟中，天分、推銷自己的能力和人脈關係是成功的要件，兒童早期教育品質和社區環境則對這些要件有相當關鍵的影響力。但高效率的篩選機制卻將小孩按照家長的收入分類。每個家長的行爲都很理性，但個人的理性不等於整體社會的理性。作爲關心國家未來的公民，我們也不該選擇這樣的結果。

大學的篩選

假設你是功課優異的高中生，準備要進大學。二十年前，你只清楚本州甚至本區最好的大學。現在你可以從評鑑報導和網路資訊來充分瞭解全國各大學的狀況。此外，由於各州緊縮高等教育支出，上州立大學不一定比較便宜。

高等教育往全國性（甚至世界性）轉型使各大學面臨更激烈的競爭。爲了維持或增加聲望，大學必須從全國甚至全世界吸引最聰明的年輕人。大學比以前更清楚哪裡有資優生，會提供更誘人的獎學金來爭取。

資優生的家長也變聰明了，他們和優秀員工一樣積極抬高身價。卡內基美隆大學直接鼓勵資優生列出別校提供的價碼，再開出同樣或更高的條件，甚至保證「絕對比其他大學高」。哈佛大學也搞這一套，只是說法比較微妙：「我們希望可以提供某些學生特別誘人的條件，請這些學生不要以爲我們不會回應。」

結果，給窮學生的獎學金反而越來越少。「不限財力政策」（Need-blind admissions，大學按照成績核准入學，讓每個新生都有足夠補助以完成學業）正在快速消失，大部分獎學金都被資優生拿走。明尼蘇達州聖保羅市的麥卡勒斯特學院院長麥克福森（Michael S.

McPherson）便說：「學費補助以前是慈善事業，現在則是投資，就像品牌管理一樣。」

這表示特別聰明、特別有企圖心的學生會群聚到同一所知名大學。他們在進大學前就比別人一帆風順，群聚又進一步加強其成功的機會。他們的天分和企圖心會彼此強化，豐沛的人脈關係也讓他們能找到更好的工作。大學的聲望也因為這些人的群聚而上漲。能力較差的年輕人只能進二流大學，這些人的聚集也在各方面強化出二流的效應。其餘依此類推。（不過，大學排名與資優生人數不一定完全相關。有些一流的小型大學在某些專業領域有特別突出的聲望，可以吸引到世界級的師資和學生。）

這種趨勢已經存在好幾年，而且篩選的效率越來越高。雙方面的激烈競爭——最好的學生要進最好的大學，大學要找最好的學生——導致天分和能力的高度集中。難怪大學畢業生的收入也越來越不平等。

風險的篩選

分散風險是社區的傳統功能之一，所有成員都會出資防備任何一人發生不幸。在二十世紀初期，人們認為國家應該為所有人提供社會保險。小羅斯福總統便曾說，每一個美國公民都能「從終身性的保險體系獲得養老津貼。失業會有津貼，生病或殘障也會有津貼」。

但篩選機制正在侵蝕社會保險體系。要瞭解箇中原因，你必須先瞭解決定投保動機的兩大因素。第一，你之所以投保（私人保險公司，或政府以稅收支應的公共保險）是因爲你不知道自己的風險有多高。第二，投保費率（私人保費或稅額）相當於所有投保人的平均風險。如果每個保險體系的平均風險都一樣，或保險體系是屬於全國性的（如健保或社會安全制度），你的支出便和其他人大致相同。不可避免地，富人必須補貼窮人，但因爲天有不測風雲，這樣的做法還算公平。

如果你沒有強烈的社會意識，而且認爲自己用到保險的機率比別人小，你投保的意願就會降低。按照小羅斯福總統的設計，美國的「社會福利」是用來保障有小孩的寡婦。當時每個家庭都可能遭遇這種不幸，這個制度因此很受歡迎。但當社會福利被用來補貼未婚媽媽（其中多數是黑人），它就不再像是保險，而是對「不值得救濟」的窮人的施捨。當越來越多已婚媽媽在工作，這些人拿錢就更不應該了。於是社會福利的政治支持度下降，補貼跟著縮水。

美國老人很支持社會保險（每四年總統選舉都會吵一次全民健保和社會安全制度的問題），但有錢人和身體健康的人不這麼想。很多人認爲擺脫窮人和病人而另成一個體系會比較划算。這種想法不是因爲自私，而是因爲現在的科技可以顯示每個人的風險程度。譬如說，細胞中的基因密碼可以顯示你得到絕症的機率。你的家族史（父母和祖父母的壽命、死因）也能透露更多訊息。只要分析你的生活方式，包括飲食、活動、住所、收入、學歷、個人習慣和癖好等等，就可以知道你生病和出意外的機率。簡而言之，你會遭遇不幸而用到保險的機率已經不是什麼祕密。

保險的篩選機制的運作模式就跟其他社會支出和教育一樣：最好不要補貼風險比自己高的人。美國人每年花幾百億美元購買私人保險，保險公司爲了爭食這塊大餅，當然想挑好的客戶，也就是風險比較低的人，讓他們繳比較低的保費。於是隨著資訊越趨普及，生活富足、衣食無憂的人所繳的保費會越來越低，高風險者的保費則越來越高，兩者差距越來越大。

篩選機制已經在切割美國的私人健保市場。健康維護組織（ＨＭＯ）積極在高收入的郊區和高薪公司推銷，因爲這些人比較不會用到昂貴的醫療。雇主則把低薪、高風險的員工丟在一邊，只願意照顧最有身價的員工。全錄公司在一九九九年宣布不再爲所有員工買團體保險，改發補助券讓員工自行投保。如此不僅可以減少公司支出，低薪員工也不必再補貼高薪員工。隨著很多大公司縮小員工團體保險的範圍，把營運外包給較小的公司，仍參加母公司團體保險的就只剩下最核心的管理者，這些人也通常是比較有錢和比較健康的人。

這種「管理式醫療」革命同時減少了未投保窮人的醫療機會。市立醫院以前是最窮、風險最高者的最後一道保障：付不起錢的人可獲得免費醫療，有創傷急診中心和燒燙傷中心，也有處理肺結核、愛滋病、毒癮和家庭暴力的單位，即使新移民也能上市立醫院。市立醫院能提供這些服務是因爲其他病人有健保，保險公司付給醫院的錢比實際花費稍高而間接補貼這些開支。但現在各家HMO都在激烈競爭和控制成本，使市立醫院沒有額外的經費可用。因此醫院爭相招收有錢的低風險病人（例如要分娩的中產階級婦女），避開沒有投保的毒癮犯和重傷患。醫生做慈善義診的時間也減少了。最近便有一項研究顯示，在管理式醫療競爭最激烈的社區，醫生做慈善義診的時間比沒有管理式醫療的社區少二五％。

美國的老人醫療保險（Medicare）的原始構想是讓所有退休者有最低程度的健保，由所有工作者投保給付。因爲每個人都不確定自己退休後會需要多少醫療，這個制度看來很公平。但有錢人和身體健康的人喜歡「醫療儲蓄帳戶」，因爲這對他們比較划算，不必補助長期病患。這種偏好是完全合理的，但如果所有人都認同這種篩選機制，重病、窮困的老人就只能靠時常被刪減的政府補助。

美國社會安全制度的原始構想是用高薪者的所得稅去補貼低收入的退休者。由於每個人初入社會時都不確定未來會賺多少錢，這個制度好像也很公平。但現在，學歷高且人脈豐沛的年輕人認爲自己賺的錢會比學歷低又沒人脈的年輕人多（後者可能一輩子沒有積蓄），他們喜歡與同樣條件的年輕人合組共同基金，讓每一分錢都有充分回報，而不願補貼窮苦的退休者。在這種篩選機制下，社會安全制度的「私有化」會讓低收入退休者的補助越來越少。

領導像討好

以前的領導者要做決策，現在的領導者則要吸引（和留住）資金和人才，因爲資金和人才比從前更容易流動。公司、大學、博物館、醫院等機構的領導者都希望創造良性循環，用現有的資金和人才吸引更多資金和人才，以提高組織的聲譽、創新能力、教學和學習的品質、對成員的服務品質，或降低組織成員的成本和風險。問題在於良性循環有時會變成惡性循環。最有才幹的人可能會另謀高就，帶動其他人一起出走。組織也可能出現人才外流或資金逃竄等大規模外移現象。所以，領導者的工作也包括阻止惡性循環的出現。

私人企業的經理人不再做大戰略規劃，他們把時間用來說服股票分析師、創投專家和投資法人，用股票選擇權和有趣的案子來吸引和留住人才。要讓引誘發揮最大效果，領導者必須親自出馬。IBM在一九九四年以三十億美元惡意併購Lotus之後，董事長兼執行長葛斯特納（Louis Gerstner）親自坐直昇機從紐約總部飛到麻州劍橋去說服歐齊（Ray Ozzie）留下來，因爲歐齊是Lotus最有創意的人，曾經創造出經典軟體Notes。歐齊因爲葛斯特納出馬而多留了三年，一九九七年才辭職自組新公司。

非營利機構的領導者也要不斷吸引人才和資金。紐約新當代美術館前館長瑪夏・塔克（Marcia Tucker）說：「現在要領導一個機構，你得是機會主義者。你得利用每個社交場合來募款和聯絡關係。」因此大學校長忙於吸引明星教授，學院院長則拚命籌錢。巴德學院校長波斯坦（Leon Botstein）也說：「你要集乞丐、馬屁精、弄臣等各種角色於一身。」過去那些眼光遠大、隻手改變美國人思考方式的校長都消失了，取而代之的是只想撈大錢的新一代領導人。二十世紀末的哈佛大學校長是魯登斯坦（Neil Rudenstein），他幾乎毫無名望，但就是有辦法從想在哈佛牆上留名的人募到大把鈔票。爲了專心募款，魯登斯坦對當代重大議題絕不表態。他解釋：「我要思考的不是我自己的立場爲何，而是哈佛的立場爲何。」

治國像推銷

政府官員必須更會討好。州長和市長拚命吸引和留住高技術和高收入者，因爲只有這些人才能帶來良性循環，才會吸引其他人才和全球資金。他們的流動和教育程度呈現正相關。高中輟學者每年有一．六％會搬往別州，大學畢業生則有四％。高學歷者不只比低學歷者在不同地方有很多工作機會和人脈關係，還可以在任何地方用網路出售服務。

如何才能吸引和留住高學歷、高創意的工作者呢？這需要降低稅率，要有安全舒適的工作和居住環境，到機場的交通要方便，還要有旅遊勝地、博物館和巨蛋體育館。不然他們會另尋他處，如麻州的高科技人才爲了稅率而搬至新罕布夏州。

政府官員對人才的討好使得州稅和地方稅從高收入者轉移到低收入者，因爲前者流動性高，而後者少有選擇餘地。（高收入者繳稅比率重的）所得稅逐漸被（低收入者繳稅比率重的）銷售稅、燃料稅、菸酒稅和彩券盈餘所取代。隨著美國各州財政充裕，州長們從一九九三年開始減稅，但其中三分之二是所得稅而非銷售稅。

美國各州也因忙著討好而縮減高等教育支出。這是因爲教育程度越高、流動性越大，幫年輕人完成大學教育會增加失去這個人的機率。一九九八年時，內布拉斯加州州長班．尼爾森（Ben Nelson）抱怨：「我們的人才正在外流。」他表示成績越高的學生越可能離開當地。因此該州現在只補助那些答應在畢業後三年內留下來工作的學生。

州長和市長也必須說服企業到當地設點。產品越來越輕薄短小，運輸和通訊成本越來越低，生產地點就可能隨時改變。這使得政府官員競相以更多補助和更低稅率來吸引企業，結果全世界的公司稅率都在降低。

幾年前，我爲紐約市、新澤西州和康乃迪克州主持簽署一項不互挖彼此企業的協議。這項協議只持續了十天，因爲有一家企業暗示條件不好就要搬家。現在這三個地區爲了留住原有的勞動力，每年花費超過二十五億美元。紐約州州長和市長曾宣布破天荒減稅七億兩千萬美元，補貼紐約證交所在原址對面蓋一棟六十層的辦公大樓。新澤西州也想引誘紐約證交所，但開的條件不夠好。我無意侮辱新澤西這個花園之州，但「新澤西證交所」這個名稱眞的不太響亮，何況電子交易系統在幾年內就會取代鋼筋水泥大樓，不管大樓建在哪裡都一樣。但正如《紐約時報》社論所言：「現實是，如果紐約市不玩這一套，其他虎視眈眈的城市和州就會趁虛而入。到了那時，曼哈頓的聲望和居民就會像自由球員一樣被拐到別的地方。」

糟糕的是，稅率減免和補貼會排擠窮人需要的公共支出。美國州政府和地方政府在一九九九年給企業的退稅和補貼超過一百七十億美元，如果這筆錢投資在教育上，就算學費再漲一倍，也能讓一百五十萬個小學生免費就學。

政府官員甚至拿學校去換運動場。一九九九年，賓州撥款一億六千萬美元爲費城的老鷹隊和費城人隊及匹茲堡的海盜隊和鋼鐵人隊蓋新的運動場，並附有豪華停車場和貴賓包廂。但費城的公立學校卻擁擠不堪，不但天花板漏水，甚至連水電都沒有，匹茲堡的學校也短缺預算三千萬美元。一九九五年，克里夫蘭用一億七千五百萬美元阻止布朗隊轉往巴爾的摩，該市卻有十一所公立學校因經費不足而關門。在本書撰寫時，洋基隊老闆正要求紐約市爲該隊建一座幾百萬美元的新運動場，市長似乎躍躍欲試，但欠缺經費的紐約學校卻擁擠而危險。爲什麼政治領導人要這麼做呢？因爲職業球隊沒有運動場就會走人，而市中心窮人區的小孩無處可去。

這是全球性的現象。一個世紀以前，美國召喚全世界「渴望呼吸自由空氣的勞苦大眾」前來，現在則召喚渴望發財的軟體工程師。儘管社會大眾對貧苦移民的大量湧入感到不安，美國的高科技公司卻成功遊說政府提高海外高科技人才的移民配額。其他國家也用自己的方法在吸引人才。愛爾蘭給予暢銷作家高額稅率減免，伊朗則在一九九八年以每月五千美元的高薪招聘前蘇聯的生化武器專家，比這些人在俄國一年的收入還高。

另一方面，加拿大正在流失經理人、醫生、護士、科學家等專業人才，因爲這些人的收入有一半要繳稅。瑞典的科學家和工程師也紛紛離開，因爲他們的最高稅率有五九%，財產超過十二萬美元還要付一．五%的財產稅。其他國家的跨國公司則對這些人大表歡迎。因此，加拿大和瑞典遲早要降低這些人的稅率。

各國領袖都在招攬全世界的投資者。從前的外交是要締約、結盟和維持權力平衡，重要會議是由國家元首出席。現在的外交則是要吸引投資、防止資本逃竄，重要會議的成員包括國家元首、大銀行家與基金經理人。就像野狼喜歡把獵物趕到一處，總統和總理們也要使盡渾身解數來招攬全球資金。他們向操控資金流向的大戶搖尾乞憐，必要時還會減少預算（包括社會保險、醫療和學校等公共支出）以取得投資者的信心。

經過篩選的社區

透過以上這些手法，窮人所需的支出來源轉移到窮人自己頭上。這就是篩選制度的最終結果。

最上層者擁有最大的交易能力，能夠享有最好的學校、幼兒照護、醫療、保險、稅率和投資報酬率。他們的教育程度高（或父母的教育程度高）、健康、富有而衣食無缺。經濟轉型的痛苦落在交易能力最小的人身上，他們只能接受最爛的學校，幾乎沒有進大學的機會，缺乏醫療照護，也沒有保險。他們在社會上越來越孤立，人脈關係也越來越少。換言之，需求越大的人，交易能力反而越小。

這樣的體系不是誰設計出來的，也沒有人想要這種後果。這只是許多個人爲了增進自己福利的理性選擇的結果。這並不表示有錢又好命的人的善心減少了。有錢人可能眞心想幫助窮人，並且到處捐款。但是篩選作用會讓他們難以意識到其他人的生活，而且提高生活的賭注，讓他們難做選擇。要他們住在貧窮的社區，等於要他們犧牲舒適的生活、一流的學校、高品質的醫療服務和幼兒照護、珍貴的人脈關係等好處。良好的社會不應該依靠個別的聖人。

篩選機制也迫使人們盡可能去賺最多的錢。高收入能讓你和你的家人住在最好的社區。低收入則讓你住在窮人區，學校爛、公園少、街道不安全，還有一大堆社會問題。當篩選機制越來越強大，社區好壞的差距也越拉越大，進一步提高了生活的賭注。

這不是故事的結局。我們不是趨勢的奴隸，也不是篩選機制的俘虜。只要有心，我們能夠超越彼此間的經濟利用關係而互信互惠。就和新經濟其他層面一樣，我們在這方面還是有選擇的。

第三部

新經濟的大抉擇

11 個人的抉擇

去愛，去工作

——佛洛伊德「論人應該能做好的事」

大多數人都比以前更富裕了。我們擁有更多的東西，可以得到最好的交易。然而在這個富裕的時代，生命中某些最深刻的焦慮卻沒辦法用錢解決。家庭的衰敗、未善盡爲人夫妻和父母的職責、無法維持眞誠的友誼、社區的脆弱性、個人完整性的破壞，這些都是許多人擔心的問題。

工作不但占去我們更多時間，也耗盡我們的情感和精神能量。前面已經說過，美國人比歐洲人和日本人每年平均多工作三百五十個小時。這還不包括電話、傳眞、傳呼機、電子郵件和商務旅行等對個人生活的入侵，也不包括工作所帶來的無休止的焦慮和掛念，工作占據了我們大部分醒著的時間，甚至也壓榨了我們的睡眠。許多人得像榨果汁一樣擠出時間。持續專注於工作，不管是創作、教學、說服還是推銷，使得我們的情感枯竭。就算每週只工作四十個小時，還是會讓我們的精力消耗殆盡。就算有時間與朋友、家人和鄰居相處，也無法留給自己少許的心靈空間。我們已經被工作榨乾，再也沒有時間做別的事。工作以外的生活正在萎縮和枯竭。

這是我們自己的選擇嗎？這就是成功的未來嗎？

我們究竟想要什麼？

經濟學家和多數社會科學家都認爲，一個人的外在行爲才能顯示其眞實欲望。心理學家和精神分析師也認爲，不管一個人說自己想要什麼，他實際上選擇的東西才是他眞正想要的。如果一個人眞的想要過不同的生活，也願意接受必要的犧牲，那他就會採取如此的行動。

有些人是出於經濟需要才被迫拚命工作，但經濟需求無法解釋目前的趨勢。美國的管理者和專業人員原來生活就過得很不錯，他們在一九八〇年代中到九〇年代末更加富裕，但其中每週工作超過五十小時的比例也上升了三分之一。事實上，你的收入越高，你就會工作得越辛苦。不是因爲你拚命工作才賺到更多錢，而是因爲你賺了更多錢所以更拚命工作。將近四〇%的大學畢業男性和二〇%的大學畢業女性每週工作超過五十個小時。大學畢業生的收入比沒進大學的人高很多，但前者每週工作五十小時以上的機率是後者的四倍。

甚至還有證據顯示，你的收入越高，你的小孩就會比你更忙。《紐約時報》與CBS在一九九九年一項針對十三到十七歲青少年的調查發現，不論種族或性別，家境富裕者認爲自己的生活比父母更忙、壓力更大的人要比家境貧窮者多出許多。這也許是因爲家境貧窮的青少年瞭解自己父母的工作有多麼辛苦，覺得自己的生活比起來已輕鬆多了，但家境富裕的青少年則經常被父母告誡不可落於人後。我記得《紐約客》雜誌（讀者多是有錢人）刊過一幅切斯特的漫畫，標題是「最有希望成功的人」。漫畫中有兩個戴棒球帽、揹背包的小男孩，其中一個對另一個說：「我很想常來打球，和你們鬼混，但我沒辦法來，誰教我們都得在全球經濟中競爭。」

現今的大學生也越來越願意爲了更多錢而賣命。前面提過，在一九六八年，只有四一%的大學新生認爲「非常富有」很重要，多數人都有志於「發展有意義的人生哲學」。但金錢的地位越來越高，人生哲學的地位越來越低，到了一九九八年，認爲「非常富有」很重要的大學新生已高達七四%。我強調過，這並不表示現在的學生比以前貪婪；自願做社區服務的人數也創下歷史新高。這表示他們進大學應有更多經濟上的動機。

美國父母也越來越希望子女奮發向上。「全國意見研究中心」（NORC）每年都有一項大規模的一般社會調查（GSS），問題是「你認為下列哪一種特質對小孩的未來最重要？」，選項包括「爲自己著想」、「聽話」、「勤奮」、「幫助他人」和「有人緣」。從一九八六年第一次調查開始，選擇「爲自己著想」的比例大概都在一半左右。而選擇「聽話」的比例則從二三%降到一九九八年的一八．五%。只有「勤奮」一項越來越受重視，從一九八六年的一一%升到一九九八年的一八%。

從社會科學家的角度來看，既然一個人的行爲才能顯示他眞正的欲望，那麼美國人爲自己和子女選擇了努力工作就表示他們「想要」這個樣子。忘掉「更平衡的生活」吧！雖然很多人嘴巴說要多致力於家庭、朋友、社區、個人天職和精神上的充實，但仔細分析起來都只是故作姿態罷了。

然而個人的選擇不會在社會的眞空狀態下出現。我們之所以這麼選擇，乃因這些選擇會導致特定後果，而這些選擇又和社會結構有關。監獄中的犯人之所以選擇爬過有鐵絲網的高牆，不是因爲他「想要」這麼做，而是因爲他的處境逼他去做這麼危險的事。如果監獄內的情況越來越糟，而監獄外的世界越來越好，他也許會選擇去爬更高更危險的牆。若根據這樣的行爲就下定論認爲他「偏好」爬更高的牆，那是完全不瞭解問題的本質。他之所以這麼做，是因爲監獄內和監獄外的生活差距越來越大。

巨大的轉變

爲什麼大多數美國人比三十年前更拚命工作？不是因爲他們對工作更有熱情，也不是因爲美國人在朝不同方向演化。這裡面一定有其他原因，而這些原因還在持續產生作用。爲什麼美國人已經比歐洲人每年多工作三百五十個小時，卻還要爲更多錢而更賣命？不是因爲美國人的大腦和歐洲人有什麼不同。這裡面一定有其他理由，這些理由與基因無關，而是與美國人和歐洲人所處的環境有關。

爲什麼現在的大學生比三十年前更注重金錢？他們並沒有比以前的人更貪婪，那究竟是什麼變了呢？爲什麼現在的父母比三十年前更重視子女勤不勤奮？一定是有什麼原因使父母更重視不勤奮工作的後果。

爲什麼生育率越來越低？不是因爲現在的人比較不愛小孩，一定還有其他解釋。爲什麼現在愼選社區比以前更重要？不是因爲現在的人喜歡住在有一流學校的舒適社區，而是因爲有某些因素使更多的人改變了選擇的模式。在本書中所提到的案例都指出，個人對工作及生活的選擇都受到社會轉變所影響。

我們不能把所有責任都推給科技和經濟的轉變。人類畢竟是很複雜的動物，會受許多因素影響。但前面幾章確實證明了科技和經濟轉型會改變工作的報酬和結構，繼而影響每個人的生活方式。我的觀察摘要如下：

・你的收入比過去更無法預測。你無法像過去那樣知道未來可能賺多少錢。就算你工作勤奮、表現優良，你的市場需求還是有可能無預警地突然下降——因爲客戶找到了更好的選擇。這使你陷入兩難，因爲大部分生活支出是固定的，例如房貸、房租、車貸、保險費等等。你要怎麼辦呢？你必須未雨綢繆。你得趁手上還有工作的時候拚命地幹，預防未來收入遽然下降。

・如果市場對你的技術需求很高，你的收入可能會直達舊時代收入最高的那一層。過去的薪水主要是看職等和年資，現在則看創意和能力。如果你是眞正優秀的電腦高手或心理醫生，你不但會賺大錢，還會有大筆津貼和舒適的工作環境。相反地，如果你做的是機械性的日常工作，不但全世界有一大堆人可以做，也可以被電腦化設備和網路軟體取代，那你的收入就會大不如前，甚至可能丟掉飯碗。除非你有足夠的教育程度和技術把自己轉變成電腦高手或心理醫生，否則你只能廉價地提供個人服務。有些工作可能帶來成就感，但大部分的工作既辛苦又難受。

・如果你是屬於後一類的人，無法達到多數人心目中的生活標準，你只能更拚命地維持家計，你配偶的工作時間也必須延長。就算你是新經濟的贏家、錢賺得很多，你還是可能工作得更久、更拚命，因爲你不拚命的機會成本（薪水、外快、挑戰性和樂趣）比過去更高。同樣的道理，你會傾向去找高薪的工作；如果你想選擇較低的收入，你放棄的東西將遠多於過去。

・就算你的工作表現不錯，也絕不能鬆懈。市場變化非常迅速，消費者的選擇性大大增加，他們可以立刻改變選擇。你沒有休息的餘地，無法總是掌控一切，更無法仰賴自己過去的勝利或年資。今天的大創新可能持續不了幾天或幾星期，因爲你的對手能迅速模仿，甚至提出更好的創意。

・進一步而言，你不是走快車道就是走慢車道。除非你能持續與客戶及消費者保持接觸、發展人脈關係、跟上你那一行的最新發展，否則你的收入就會少很多，甚至落得只能做無趣的工作。當然，新的工作型態讓你在工作方式和工作時間上有更多彈性，想做兼職、度長假、停薪在家一兩年照顧小孩都比從前容易。但要小心，因爲這些選擇的代價非常昂貴。不要妄想能輕易重回快車道，因爲有太多事會在你離開的時候發生；其他人會接收你的客戶和人脈，並發展出新的技術。

・已經沒什麼大公司會因爲你工作表現良好而慢慢提拔你。你只能靠自己，只能自我推銷！光是聰明、有創意或有很酷的點子還不夠，這種人到處都是，他們都會和你搶生意。你必須吸引和留住消費者。你得利用所有的人脈關係（不管是朋友還是點頭之交）去拓展你的市場，並跟上消費者的需求。你必須打出自己的名氣，不要投資太多時間和精力在特定公司或組織。你得「下海」去秀，讓大家爭著對你喊價。

・篩選機制越來越有效率。如果你賣命工作、自我推銷成功，你就可以用贏來的勝利將你自己和其他成功的人擺在一起。這表示你可以住在優美而安全的社區；可以把小孩送到最好的托兒所、學校（高級社區中的公立學校或私立的貴族學校），接下來理所當然地進入一流大學；可以成爲高級健身俱樂部的會員；可以享有完整的保險；可以有醫生來替你私人診療，或到頗負盛名的醫學中心。但如果你屬於低收入階層，你就會住在老舊又危險的社區，學校很差，醫療設施簡陋或根本沒有。

簡而言之，美國人之所以比歐洲人和日本人更賣命工作，主要是因爲美國的工作報酬和結構會刺激人去賣命工作。你必須比以前更辛苦，因爲所有賭注都增加了。年輕人對錢更有興趣，因爲金錢報酬比以前高，不追求金錢的後果比以前糟。父母也因此更注重子女勤不勤奮。生育率降低是因爲生小孩不划算。住的地點、和哪些人做鄰居比以前更重要，因爲篩選機制越來越有效率。

當然，做選擇的還是自己。沒人規定你要這麼賣命，要花這麼多時間和精力在工作上。如果你眞想，你可以選擇少工作一點，多把心力放在自己、朋友、家人和社區上。你可以選擇多生幾個小孩，而且不要把照顧兒女的工作交給保母。你可以選擇不要花錢買個人照顧，不要那些僞裝成朋友的教練和顧問。你可以選擇住在窮一點的社區，不去住在那些你付得起的高級社區。

在某種意義上，這些都是個人的選擇。但在另一種意義上，這不能眞的算是個人的選擇，因爲賣命工作與否所享有的好處或承受的壞處以及社區的好壞差距要比從前高出太多，在美國也比在其他國家高出很多。你可以選擇不爬牆，但不爬的壞處比以前更糟，而爬的好處比以前更好。好處和壞處都增多了。

這並不是叫你別妄想在工作和生活之間求取「平衡」，只是警告你追尋這些個人選擇所需的決心比過去大了許多。如果本書所談的趨勢持續發展下去，未來要做這些選擇得有更強的決心。我們常聽人說，也常常自己告訴自己，只要自覺到什麼才是眞正重要的東西、只要能更有效利用時間、只要把生活簡化，「平衡」就可以掌握在自己手中。這種想法很令人欽佩，但若以爲用這些手法就可以解決這個富裕年代的深層焦慮，只是在自我欺騙。撇開經濟和社會的總體趨勢來看自己的遭遇和我們該有的反應，不但無法看清眞相，還會不必要地限制了我們的選擇範圍。

自覺

你一定要瞭解什麼對自己最重要。很多人只曉得上班要做什麼，下班後就一片茫然。工作表現會不斷受評量，薪水袋的數字也會自動反映你的身價。如果我們在走上坡，自然會有績效獎金、股票選擇權和更好的工作機會；如果是走下坡，各種收入就會萎縮。可是工作以外的生活品質很難估量，不像工作時清楚地瞭解自己期待和被期待什麼，只能模糊地感到少了些什麼，卻無法瞭解到底是什麼。

美國社會通常要等到上流社區的小孩在學校向其他同學開槍後，才驚覺出了問題。每次發生這種事，專家學者、傳教士和政客就會公開質疑社會價值體系，說人們的生活缺少「平衡」、花太少時間和精力在重要的事情身上（例如孩子）。但只要危機感一過，不再出現在報紙頭條，大家又回去更拚命地工作。

很多女性很清楚自己的生活受到極大壓力，卻不知道自己該期待什麼。大部分職業婦女都要負責家務，照顧小孩、先生和年老的父母。有些女性覺得要更努力才能維持生活水平，有些女性則覺得要更努力才能留在工作跑道上。能擠出時間盡到所有義務的現代女性是十分幸運的，但她會發現這通常很難辦到。

很多男人只有在狀況發生後才會痛苦地意識到問題。出狀況的可能是婚姻，可能是身體健康，也可能是小孩闖了禍。可能是工作壓力大到半夜從夢中驚醒，或是沈醉在目前的工作中卻突然發現失去了所有生活（這是我的情況）。

有沒有更好的方法可以發現問題呢？發現問題一定要這麼痛苦嗎？我曾花了兩個禮拜來研究那些教人如何在工作和其他生活之間求取「平衡」的書籍、錄音帶、自修課程、簡訊和指南。其中一種方法是先把你生活中最滿意和最不滿意的部分、最重要和最不重要的事情列出來，再列出你對每樣事情所花的時間和精力。有哪些事情是你認爲不重要、卻花了最多時間和精力？你可以想像自己馬上要死了，再想想生命中到底什麼才是眞正重要的東西。你會怎麼看現在以爲最重要和最不重要的事情？你想在身後留下什麼？你想要別人怎麼懷念你這個人？並對照現在的生活。這些指南斬釘截鐵地指出，沒有人會在死前後悔工作時間太少，雖然沒有實際的統計資料支持。

做這類自我反省沒什麼不好，也許還有點益處。它們的基本要點很簡單：雖然我們喜歡否認自己有選擇的權力，但實際上我們一直都在做選擇，我們只是不想接受選擇的後果而已。當我在華府工作時，我不願意承認工作以外的生活正在消失，因爲我實在太愛這份工作，不敢去想這份工作讓我失去什麼。但我實際上還是在做選擇。會買這些書和錄音帶、會去參加成長團體、會去找生涯規劃教練的人都是已經意識到生活該做改變的人。但要決定改變什麼並切實執行才是最困難的事。

時間管理

有些人想更有效率地運用時間。他們買了一堆時間管理的書籍、錄音帶和指南，或花錢找個人教練、參加一些團體。自從時間管理大師泰勒在二十世紀初首創時間和動作的研究以來，去除不必要的動作以增進人類活動的效率已成爲常識。初學者可以先列出一天要做的事，計算每件事需要的時間，弄出一個「時間日誌」：

起床、梳洗、作運動、穿衣服……四十分鐘
吃早餐……十分鐘
查看今天的頭條新聞……八分鐘
清理狗大便……四分鐘
送小孩上學……十一分鐘
開車上班……二十八分鐘
公務電話……兩小時二十五分鐘
回電子郵件……兩小時十五分鐘
開會……三小時四十分鐘
和同事閒聊……一小時十五分鐘
開車回家……二十四分鐘
溜狗……十四分鐘
整理房間、清垃圾……十八分鐘
幫忙準備晚餐……十九分鐘
和家人吃晚餐……二十二分鐘
洗碗……十八分鐘

陪兒子……四分鐘
計算家裡開支……十三分鐘
在家打電話……三十二分鐘
寫東西、讀東西、看電視、聽音樂……兩小時十八分鐘
回家裡的電子郵件（包括寫信給念大學的兒子）……四十五分鐘
看書報雜誌……一小時十四分鐘
和兒子說晚安……七分鐘
迅速地運動……十二分鐘
洗澡……十二分鐘
上床、和老婆說話……十四分鐘

第二步是對這日常的一天做個分析。根據你的理想，把花太多和太少時間的項目做記號。有哪些項目可以有效壓縮，把時間挪給別的項目？你花三小時回電子郵件，只花二十二分鐘陪兒子、三十分鐘陪老婆（不算幫忙作飯的時間）？這太誇張了！快把回電子郵件的時間減爲兩個小時，兒子和老婆每人多加三十分鐘。如果你太久沒和朋友聯絡，那就把和同事閒聊的時間減掉三十分鐘，每天多加三十分鐘打電話給朋友。你想多參與社區活動

嗎？那就把時間挪出來。還有你的睡眠時間並不夠，那就把開會時間減掉一個小時（反正你開會時也常在睡覺！），多加一個小時睡覺。再多加一點運動時間。

但這還是沒用。定時間表很容易，但要遵守新的時間表幾乎不可能。我認識一個人把電子計時器掛在皮帶上，該做下一件事的時候就會振動。我不相信他會因此更有效率，卻一定會更神經緊張。

這麼做的第一個問題是，工作不會因爲你多花時間就產生機會或危機。在新經濟中尤其如此，因爲新經濟本身就是一連串驚奇。激烈的競爭和不斷的創新必然會產生無法預知的狀況：一會兒是某個客戶陷入財務危機，一會兒冒出一個殺手級對手，一會兒又有某個重要員工要跳槽。你負的責任越大，你就越心煩意亂，越難控制自己所設定的時間表。

第二個問題是，我們不只投注時間在工作上，還耗費了情緒能量和專注力。

最後，就算你想在工作之餘和別人聯絡感情，別人也不見得會配合。夫妻相處不會因爲有時間表而更親密。親密關係要雙方同時有感覺才行。規定在某個時間親熱就像把小狗關在箱子裡一樣：關得太久，就算有足夠的食物和水，命也會沒了。

兒女也不會遵守你的時間表。雖然我沒女兒，但我可以告訴你兒子絕對不會照時間表來。我可以用我的經驗告訴你，青少年就像貝殼，有時會爲了吸收養分和吐沙而打開一下，然後又立刻緊閉雙殼。如果你碰巧撞上貝殼打開的時候，你就能看到不可思議的內在，得到迅速溝通的機會。

但你得正好在場才行。貝殼很快就會闔上，然後你就什麼都看不到了。別聽人胡說時間的「品質」比「長短」更重要。青少年才不理你，他們有更重要的事要做。我辭去勞工部長之後，週末忽然有空了，我興沖沖要和兒子享受有「品質」的時間。「對不起，爸，我很想跟你玩，可是……我已經和大衛和吉姆約好要去廣場了。」「這部電影很酷，爸，但是……說實話，我比較想和黛安去看。」我想定下時間，但到時候一定會有變故。青少年是不可能照時間表來的。

簡化

有些人決心簡化生活。現在甚至有一種「自願簡化」的運動，還有一大堆教你如何簡化生活的書、研討會、簡訊和成長團體。這個運動的基本理念就和它的目標一樣「簡化」。第一步，決定你到底需要多少錢（或是權力和地位）。你可以接受比較小的房子嗎？可以接受比較少上館子嗎？可以接受比較少的「物質」嗎？假如你可以，那就把工作時間縮短。生活越簡單，就越豐富。

這種書讓我想到減肥食譜。它們把欲望看成強迫性的飲食失調。你所買的不必要的東西就像身體無法吸收的食物一樣，只會長出無用的脂肪。除非你想變得和房子一樣胖，你必須減少食量、遵守食譜。你必須管制你的欲望。市面上甚至有類似「減肥的十二個步驟」的書教你如何簡化生活，也有類似減肥班的成長團體幫你堅定決心。

事實上，你買多少和你吃多少是不同的事。身體的吸收量是一定的，但藉由購買東西和服務來讓自己舒服的欲望沒有上限。自願簡化法認爲需求和慾望、必需品和奢侈品可以簡單地區分開來。但當需求超越最低生活條件後，就完全是主觀的東西。

如果只是爲了存活，其實不需要太多。每天只要有一千卡路里熱量、一些維他命和礦物質、一兩夸脫的水，衣服只要能讓體溫維持在華氏九十八．六度，再加上一點運動、一點他人的關心和一些抗生素就夠了。超出這個範圍就是奢侈。「一個人的興趣越便宜，他就越富有。」梭羅在一八五六年寫道。梭羅是十九世紀「自願簡化」運動的非正式領袖，他躲到麻州康柯特附近的森林裡，住在華頓湖旁的簡單木屋，找到什麼就吃什麼。「我們把生命浪費在瑣碎的事物上……簡化！簡化！簡化！」他寫道：「你只要做兩三件事情就夠了，不要去做千百件。存款只要一點點就夠了。」

「需求」一旦超過最低條件，就要看社會上大多數人的定義爲何。需求就和損失一樣是相對的概念。「生活中絕大部分的奢侈和舒適不僅是多餘的，還會妨礙人類的提升。」梭羅寫道。一個在美國覺得自己被剝奪的人，在非洲就成了有錢人。沒有電視一樣可以生活，但很多人認爲電視是必需品。汽車對很多家庭來說是必需品，尤其是在公共交通不便的地區。水電瓦斯也是必需品，儘管許多有錢人花大錢到沒水沒電的地方度假。電腦現在還不算必需品，但也接近了——家裡沒電腦的小孩不但被剝奪了數位訊息，想在未來賺大錢也更不容易。

諷刺的是，你認爲你需要的東西會因爲你擁有的東西增加而增加。讓我們把「需要多少？」這個問題倒過來，問問自己到底「還」需要多少錢才不會擔心錢不夠。答案可能要看收入而定。曾有一項調查顯示，在ＡＯＬ的用戶中，年薪超過十萬美元的人比年薪不到四萬美元的人更擔心錢不夠。在認爲自己每年還需要多九萬美元以上的人中，高收入者是低收入者的五倍。

時代雜誌集團出了一本雜誌叫《眞正簡單》（*Real Simple*）。根據主編的說法，該雜誌的宗旨是「幫你簡化各方面的生活，不管是住家、食物、金錢、衣服、健康、外表、工作、家庭、假日……該丟的丟掉，該留的留下」。創刊號有教你如何簡化生活的各種法門，譬如減少信用卡數、只穿三百六十五美元一件的運動衫，還附有一大堆精美的廣告，像Nieman Marcus的珍珠、De Beers的鑽飾、Atencio的銀飾、每四分之一磅要五十六美元的Todd & Holland紅茶、Ralph Lauren的時裝，以及凱迪拉克轎車。看來《眞正簡單》不是要人把所有東西丟掉，而是要幫那些有錢但沒時間的女人打理生活，花錢買一些非常有品味的東西。

如果你認爲減少生活支出就能簡化生活，請再想清楚。決定你的需求並不會讓選擇變簡單，因爲眞正的選擇不是在工作和生活之間，而是在不同型態的忙碌之間。《眞正簡單》的讀者有錢去過「簡單」的生活，但大多數人沒這種福氣。如果你想少工作、少賺錢，多花時間和精力在其他生活上，你就必須丟棄那些能讓生活更舒適、更有趣的東西，因爲你買不起。對梭羅來說是奢侈的東西，對我來說卻是必需品。我可不想住在森林小屋、自己獵食。

如果你讀過梭羅的《湖濱散記》，你會發現他其實整天都很忙。爲了獨力維持生活所需，又不想花錢買，一切都得自己動手。梭羅沒有家庭，據我所知他的朋友也不多。眞奇怪！他居然還有時間和精神去寫日記。

簡單其實並不簡單。我有一個大學同學全家搬到佛蒙特州去追求簡單的生活。她每天早上四點半起來幹活，很晚才能休息。她們夫婦沒有工作收入來滿足生活的需求，所以什麼都得自己動手做。

如果沒有專業分工，每個人都會活得更累。我的專長是教書和寫作。我用教書和寫作賺來的錢請人幫我修電腦。我不自己抓動物來吃，也不自己修電腦。食物加工和電腦維修的專業分工體系要比每個人自己抓動物、自己修電腦有效率多了。

爲了興趣而作麵包、抓動物是一回事，爲了塡飽肚子又是另一回事。修電腦也一樣。除非你想花時間去做那些付錢請人來做效率會更高的事，「簡單生活」並不會讓你省下更多時間。對我來說，一切自己動手的簡單生活實在太複雜了，你大概也一樣。

你要竭力反省現在的生活，並把它和理想中的生活做比較：重新設定優先順序；更有效地運用時間（如果你辦得到）；不要太多物質生活（如果這是你想要的）；下定決心；要求你的伴侶自己動手做家事；淋個雨好好思考；沖個熱水澡；停止看電視；找一位生涯規劃教練；買本有啓發性的書。做完這些事，也許你會找到想要的生活，但千萬別抱太大希望。

我們都要對自己生活中的選擇負責。但是我們生活在一個誘因體系中，這些誘因讓某些選擇比較容易、某些選擇比較困難。如果完全不顧這些誘因，只是自己悶頭追求「更好的平衡」，就會看不到使人失去平衡的力量。社會選擇的框框限制了個人的選擇，唯有理解我們共同面臨的選擇，才能完全理解個人所面臨的選擇。

12 公衆的抉擇

世間的苦痛和紛擾究竟所爲何來？貪婪和野心到底是爲了什麼？

——亞當・史密斯，《道德情操論》（一七五九年）

雖然我們無法確切地預知未來，但許多引領著我們走向未來的趨勢已然十分明顯。時至今日，我們已經看到充滿創新且生氣蓬勃的新經濟興起。不久之後，消費者可以從任何地方以最低的價格買到最好的東西。甚至，當有更好的交易條件出現時，他們可以在瞬間移轉目標——只要輕按一下滑鼠。投資者可以馬上把資金移往世界各地。有能力滿足市場需求的勞務提供者，將能輕易地轉換至更好的工作機會。刺激且高收入的工作機會到處都是。

在這幅美好景象中，雖有不少値得我們慶賀，但也有很多値得我們思考。經濟的蓬勃發展同時也帶來個人財務的危機感、更辛苦且更有壓迫性的工作、更大的貧富差距及社會階層分化。這些都逐漸侵蝕到個人、家庭和社區的生活。現在似乎正是一個極佳的時刻去捫心自問：我們是否正朝著心目中的方向前進？也就是去檢驗我們面臨的社會抉擇。

重大的抉擇

用「社會抉擇」這個詞來討論新經濟似乎有些不妥，因爲全球高科技經濟的興起似乎不是任何人所能掌控的。沒有人想得到通訊、運輸和資訊科技會發展得這麼快。沒有人預期科技會將經濟體系從大規模的量產轉變成多元化的創新，消費者可輕易轉換至更好的選擇——這也使得競爭更激烈，並刺激出更多的創新，導致更快的經濟發展與絕佳交易的發生。此外，也沒有任何人想接受這些發展所產生的陰暗面。

讓我們假想一幕場景。幾十年前，有一個大魔神出現在美國的天空，他要美國人做一個重大的抉擇：「你們可以選擇現有的經濟體制和工作型態，或者和我做個交易：從下個世紀開始，你們其中有些人會非常富有，大多數人會過得比現在更好。但是……（大魔神咯咯笑）我的交易條件還包括：你們的工作會較無保障，收入難以預期，貧富差距會更大。你們的工作會更辛苦，工作之外的生活會被嚴重壓縮。（大魔神又咯咯笑）這是你們的選擇，限十五秒內答覆，而且少數必須服從多數。」（大魔神又笑了，笑聲越來越大，臉也越脹越大，直到笑聲溢滿空氣之中，他的臉也占據了整個天空。接著，所有美國人都紛紛表態……）

從現在的情況來看，你會投哪一方？前所未有的繁榮值得美國人付出上述的代價嗎？美國人當然沒做過這種抉擇——至少在我們的認知下並沒有直接做過。

實際上，不管有沒有意識到，社會確實對經濟體制做了各式各樣的抉擇。「自由市場」不存在於自然狀態中。它不是由上帝所創造，也不是由上帝的意志來維持。它是人造品，是一組有關個人權利和義務的變動性規範。什麼是我的？什麼是你的？什麼是我們的？如何界定和處理違反這些規範的行爲，如偷竊、強迫、詐欺、勒索或疏失？什麼東西可以買賣，什麼不能買賣？（是毒品？性？基因？還是選票？）

單靠邏輯或分析是找不到答案的。不同文化在不同時期有不同的答案，而答案取決於社會價值觀。當文化累積了自己對這些問題的答案，也就創造出獨特的市場型態。政治語言總喜歡把問題簡化成政府和市場之間一次性的抉擇，但我們其實是透過一系列的選擇過程（這其中包含無限多最聰明且最公平的可行方案），去建構所有權和交易的規則。沒有這些規則就稱不上是自由市場，甚至根本是沒有市場可言。俄羅斯就是個例子。

經濟不只依賴著許多聰明而勤奮的人，還有賴於人們對商業契約、銀行和證券公司、稅制、專利和著作權、反托拉斯、勞動規範、區域規劃和國際貿易等各種問題所做的無數選擇之上。這些選擇都不是政府該不該「干預」市場的問題，而是應該如何「建構」市場的問題。不做這些選擇是不可能的。不做這些選擇的結果不是因循過去的選擇，就是在過去的選擇中沒有明確指引的地方製造不確定性。

這些創造出市場的選擇應該遵循哪些標準呢？法官、議員、報社主筆和一般大眾通常會以哪一種制度最能促進經濟成長、最能提升消費者福利（更低的價格和更好的產品）爲標準。此外，公平性也是標準之一。但除了成長和公平性之外，他們也可能會考慮對整體生活的影響。例如，他們可能會問哪一種制度最能促進經濟安全、個人完整、健康的家庭和良好的公民道德。

工業時代的大抉擇

工業時代初期（十九世紀末到二十世紀初）的美國人也面臨與我們現在類似的困境。新工業經濟創造出物美價廉的產品，大規模生產的新技術讓中產階級買得起家電、汽車、鞋子、衣服、廚具、加工食品等等。但這樣的好處也使人們付出代價。在那之前，美國還是一個以小市鎮、自給自足社區爲主的國家，主要從事農業生產，居民之間都很熟絡。過了半個世紀，美國就變成一個以大都市爲主的國家，城市裏充滿移民和貧民，到處是大型企業和托拉斯，貧富差距極大，大工廠內動輒有上千名工人。

沒有大魔神要美國人決定工業化是否値得。當時的美國人按照新工業經濟的好處和壞處，對自己的生活做了無數的個人選擇：要不要離開農場到工廠工作，從小鎮搬到大都市？要不要放棄安逸與熟悉的事物，去追求更高的生活水準？要不要鼓勵下一代這麼做？

這些個人選擇也代表一個時代的「公衆抉擇」。譬如說，科技提高了手指靈巧的小孩所能貢獻的生產價値，並因此提供了比在農場工作更寬廣的選擇。那麼兒童應該學習和玩耍，還是要到工廠工作？這有好幾十年的時間是由每個家庭自己做選擇。有些家庭選擇讓小孩去當童工，但最終國家還是立法禁止雇用童工。

人們也開始認爲工人需要更好的保護措施。工廠對工人的壓榨讓美國人震驚，年輕男女在高危險的環境中長時間工作，薪水少得可憐。後來就出現許多法案規定最低工資和最高工時，承認工會的集體協議權，以建築法規、衛生法規和礦業法規來保障工人的健康與安全。新的工業經濟讓美國人面臨新的經濟風險，使人們覺得要有社會保險來預防工作傷害、失業、意外死亡和不足夠的退休金。

工業化也讓貧富差距急速擴大。新工業化國家怎麼應付這個問題呢？當時的改革者認爲一個人至少要接受八年教育才能有所成就。美國在二十世紀初的「中學義務教育運動」將免費教育延長到十二年，規定兒童要受教育到十六歲爲止。接著幼稚園也出現了。

聯邦所得稅制度從一九一三年開始實施。一九五〇年時，通用汽車公司總裁查爾斯・威爾森（Charles E. Wilson）被證管會列爲美國收入最高的人（六十二萬六千三百美元，以一九五〇年幣值爲單位）。他要繳的聯邦所得稅是四十六萬兩千美元，淨收入僅剩十六萬四千三百美元。

人們對如何防止大企業危害公民權也有激烈辯論。威爾遜總統認爲大企業會危害美國道德及民主基礎，必須加以分割。老羅斯福總統則認爲唯有管制才能保留大企業的好處，並把風險降到最低。「企業集中化是不可避免的經濟規律，」老羅斯福表示：「要防止企業集中化是不可能的。解決之道不是防止集中，而是從公眾利益的角度加以嚴格管制。」和美國大多數議題一樣，這個議題最終也達成妥協：通過一個相對溫和的反托拉斯法，由管制局和產業來協商規範。其他國家也通過類似的法案。

這些議題都是在探討如何在新秩序中達到最大的利益，並節制不公平的行爲，也就是如何達到新的社會平衡。

工業時代之前的法律及社會公約完全無法適用於以薪資勞動爲主、由大企業主宰的新經濟型態。但由於無法預知工業化到底會走向何方，國家只能靠既有的資訊、對未來的直覺和長久的價值觀做出最好的抉擇。

現在，我們又要再做一次抉擇。

新經濟的大抉擇

我們正快速邁入一個新經濟和新社會，從前的選擇已不再有用。如同前面所說，許多用來控制大企業的法規都過時了，因爲規模經濟不再重要，小公司可有效地和大企業競爭。反托拉斯人士不再只重視企業的規模，因爲經濟變遷實在太快，許多大企業都要面對全球性的競爭，原本靜態的概念已經不合時宜。他們開始注意「過度的依附性」，也就是由一家公司完全主宰的連結標準，就像微軟的作業系統。與此相關的還有各種與智慧財產權相關的議題：基因可以申請專利嗎？網路銷售這種行銷手法有沒有專利可言？數學公式或複製技術應該有著作權的保護嗎？

原來用來規範雇主的工資、工時、工作環境和集體協議等法規，對於新經濟中越來越多的合約工、臨時工、自由工作者、網路工作者、抽佣工作者、管理和專業工作者及各種直接出售服務的人都不再適用。在新經濟體系中，要區分雇主和受雇者變得越來越困難。

同樣地，社會保險制度是爲眾多且穩定的工作者而設計。但當前的篩選機制使有錢和身體健康的人擁有更好的選擇權，想要跳離這個制度，甩掉窮人和病人。美國的社會安全制度要不要民營化、醫療保險要不要改成可退費的個人醫療帳戶等問題正在經歷激烈的辯論。團體健保也發生許多爭議：加入的標準是什麼？無法加入的老人和病人怎麼辦？

當美國人按照所得高低來區隔階層，社區也正被篩選。貧民區和勞工區的學校、公園、公共遊樂設施、圖書館或其他靠地方財產稅來支付的設備都縮水了。傳統的地方基金制度要在貧富混居的市鎮才有用，但隨著貧富差距越來越大，富人和窮人也越來越隔絕。問題不只是財務短缺這麼簡單。學校和成長環境對兒童的未來有相當深遠的影響，窮人聚居在一起只會讓處境更艱難。在人脈關係日益重要、職業劃分逐漸模糊且製造業正在消失的新經濟中，貧民區的年輕人很難立足，因爲他們在社會上被孤立、經濟上被隔絕，沒有模仿的對象和社會援助。

我們今天所憂慮的和工業時代剛開始時沒什麼不同，都是在擔心新經濟的壓力與不安、家庭與社區的崩解以及貧富差距的擴大。只是當時想出的方法（在新經濟力量的好處和壞處求取平衡）並不適用於現在的狀況。

全世界的人都在爭辯新經濟的生活品質是好是壞。法國工人上街頭要求每週只工作三十五個小時；德國資本家威脅著產業外移，因爲德國的工資太高，法令對員工保護得太多；美國人則在西雅圖示威遊行，反對世界貿易組織。一項全國性民調顯示，大多數美國人認爲全球經濟會對一般人造成傷害，三分之二的人擔心好工作會移到海外，美國人將只剩低薪工作可做。另一方面，小國家抱怨「熱錢」忽來忽去造成社會衝擊。許多國家的右翼份子以移民和外國人爲攻擊對象，有時還攻擊自己國內窮困的少數民族；左翼份子則批評那些穿梭於世界各國、把錢放在免稅天堂、在世外桃源度假的國際精英。似乎沒有人喜歡貪得無厭的跨國企業主管，或整天忙於重組企業、不顧他人死活的華爾街大亨。

但這些爭議都搞錯了方向，責怪的對象也不對。眞正的敵人是我們自己。是我們自己「想要」新經濟帶來的絕佳交易。我們每個人都是消費者，越來越多人還身兼投資者。科技的高速發展創造出全球性的網絡，使我們能從任何地方買到物美價廉的東西。簡而言之，罪人不是在「外面」——不是跨國公司、貪婪的高級主管、冷血的精英份子、移民或貧窮的少數民族；而是在「裡面」——在我們自己的品味、我們想買的東西、我們想得到的交易之中。很多國家的人沒有美國人富有，但他們從電視上看到美國中產階級使用的玩意時，他們也說：我們想要這些東西！請快點給我們！

但這些東西的社會代價相當高。如果我們知道眞正的代價，我們對這些交易可能就不會那麼熱中。

讓我們假設兩種極端狀況。第一種極端是所有國家都實行新盧德主義——立法禁止使用電腦、燒掉軟體、對便宜的外國貨施加高關稅、封鎖邊境以杜絕便宜的外國勞工、堵住全球資本的流動、禁止惡意併購、收回股東的權力、核發時間特長的專利、保障所有工作、凍結社區結構、禁止創新。這樣可以創造出一個很祥和的社會，不但貧富差距縮小，人人還有時間去做冥想。但這種社會在物質上會很窮困（相對於可能創造的財富而言），而且極具壓迫性。（不要以爲這種新盧德主義的方法在科技全球化的時代是行不通的。基本教義派、清教徒和各種狂熱份子都會做過這種事，難保哪一天他們不會再試一次！）

第二種極端是完全的自由放任。我們可以選擇快速成長、選擇性多、轉換性高的道路。將這條道路發展到極致，每個人就會在巨大的全球網絡中工作，收入都由即時喊價來決定。等到篩選機制在全球的效率都達到最高時，政府的任何措施（法規、保險、津貼）都會被撕得粉碎，每個國家的貧富階級都完全反映全球的貧富階級。你所處的階級要看你多賣力工作、多會自我推銷。我們的物質生活將十分充裕，但沒有人在經濟上有安全感。我們的社會也被分解、高度區隔，世界每個地方都是一樣。

該選哪一種道路呢？對大多數人來說，哪一種都不好。所以我們最終會回到平衡的問題。

新的社會平衡

在這兩種極端之間，哪一點最好？什麼是最好的社會平衡？這沒有簡單的答案，因爲在經濟波動和社會安定之間不存在一個「最佳」平衡點。但在尋求答案的過程中，你可以問一個美國人在一個世紀前面臨新工業經濟時所問的問題：怎樣才能保有新經濟的好處，又能防止極端和節制不公？

回想一下，穩定且大規模生產的舊工業經濟有好處也有壞處，所以二十世紀的改革者才專注於改善雇佣條件並約束霸道的經濟力量。相對之下，新經濟的好處在於創新和買方易於轉換，這些特色造成個人財務的危機感、工作更辛苦、貧富差距擴大、篩選機制更爲強大，進一步造成個人、家庭和社區生活的瓦解。

謀求社會平衡的一種方法是透過道德和精神層次的「覺醒」，但這需要許多人站出來反對貪婪的個人主義。這種狀況在歷史上時常出現，但歷史也證明其結果不全是正面的。道德激情一旦釋放就不容易扼止，尋求較溫和的改革或許較爲安全且實際。某些改革必須由政府來做，某些改革由非營利機構如宗教組織、大學和社會團體來做會比較適當。

如果不想完全保持舊的工作、社區和人脈關係，也不想完全自由放任，一個均衡的社會就應該追求下列幾個目標：

減輕突如其來的經濟衝擊。要保護個人和家庭免受新經濟劇烈波動的傷害，我們不必採用新盧德主義那種扼殺選擇、禁止轉向的手段。讓每個需要工作的人都能找到工作是減輕失業壓力的一個方法。如果現在缺少工作，可以用公共服務工作來塡補。我們也可以將失業保險（這是以就業為常態的工業時代的遺跡）轉型成「所得保險」，以緩和收入驟然降低的衝擊。假如你今年的收入比去年下降五〇％，所得保險可以補貼你一半；假如你今年的收入比去年多一倍，你就要多繳一些錢給所得保險基金。所得保險不但可以幫助窮人，對整天擔心收入下降的中間收入和高收入者也有利。所有人都可以納入這種保險，包括兼職工作者。只要每週工作滿四十小時就有所得補貼，使收入至少達到全國中等收入的一半。

要進一步減輕衝擊，可採用「隨身式」的員工津貼。也就是說，健保和退休金的稅率減免不再針對工作性質（這是工業時代的另一個遺跡），而是針對個人。累積起來的稅款可以直接補助工作者的健保和退休金，不管他們在哪裡工作。低收入者也可以得到較多補助。因此所有人都有健康保險。

我們還可以用「社區保險」來減輕資本突然撤離的衝擊。比方說，如果一個社區或地區流失了五%的經濟資源，就可以獲得補助來度過轉型期，用這筆錢來辦轉業訓練、幫地方上的商店縮小營業、補貼財產價值下跌。保費可以來自向當地企業和突然流入的外來資本所課的小額稅款。同樣的概念可以適用於整個國家，對快速流動的全球資本抽小額的「交易稅」（例如千分之一）。這種課稅方式不但可以對抗國際的投機行爲，也可幫助穩定匯率。

爲了補償進口貨物傾銷所造成的損失，可以修改國際貿易法規。根據美國目前的法規，只有在國內產業的競爭力受到傷害時才能採取暫時性的貿易保護措施。但是社會傷害也應該受到重視。如果貨物傾銷危害到勞工的就業機會和社區發展，工作者和社區應該有權要求暫時性的補助措施。

擴大富裕人口。現今的所得和財富不均比十九世紀末和二十世紀初的工業化時代初期更加擴大。該怎麼補救？教育程度不足常是貧困的主因，因此教育是在新經濟中成功的首要條件，應該優先投資在「人力資本」上。但是教育需要時間。窮人家的小孩不管怎麼拚命學習，長大以後還是處於社會劣勢。教育無法排除他們的社會劣勢，也不能增進人脈關係。教育也不能增加他們的資本財。

要擴大富裕人口的另一個方法是讓資本財更容易取得。美國的富翁光靠錢滾錢就可以賺進大把鈔票，連一根指頭都不必動（除了打電話給營業員之外）。一九九〇年代股市榮景的最大結果是讓有錢人更有錢。就算股票暫時下跌，長期持股還是利潤豐厚。所以除了改善學校教育之外，我們可以給所有年滿十八歲的年輕人一筆「儲蓄金」，譬如六萬美元，他可以選擇把這筆錢用來繼續受教育、創業或投資股票及債券。儲蓄金的資金來源則是對最有錢的人課財產稅。

把照顧給最需要的人。如何確保幼兒、老人和殘障者得到應有的照顧呢？前面說過，醫院看護、家庭看護、養老院看護、幼兒看護、學校老師和社會工作者做的是社會上最重要和最人道的工作。社會應該給這些人更多報酬，讓他們能提供應有的服務水準，也應該給他們更高的社會地位。唯有高收入和受尊重才能吸引學有專精的人投入，才會讓人有動力去學習必要的專業技術。

此外，一個世紀前發明的幼稚園制度也應該進一步推展。既然新經濟對家庭造成極大的負擔，就該把學校教育向下延長到三歲或四歲，讓兒童接受學齡前教育。學齡兒童在學校的時間也應該延長到大多數父母下班時間為止。

我們也應該鼓勵或要求企業讓有子女的員工可以彈性上班，可以支薪休假去照顧幼兒或老人。很多公司只有高級員工才有這些待遇，低階員工能享受到的很少。現在的公司都正轉型爲契約關係網，所謂的受雇員工已經越來越少。所以從長期來說，這種彈性規定不如由政府直接補助工作者有效。方法之一是對稅制做調整，讓支薪休假去照顧幼兒和老人都算是公司的「業務費用」，給予全額的所得稅扣抵。

照顧下一代不只是個人的事，也是整個社會的責任。我們應該補貼選擇在家帶三歲以下小孩的父母，使其收入達到全國中等收入的一半。這樣的補助可以採用退稅的形式。

扭轉篩選機制。學校受篩選機制的危害最大。現在的學校品質主要是由所在學區的家庭收入所決定。因爲家庭按所得水準聚集，而學校有一半經費來自地方財產稅，使得最需要優質教育的貧窮家庭根本負擔不起。想要保持經濟活力又要讓社會不公降到最低，學校的經費就不該依賴地方財產稅。方法之一是對全民的財產淨值課以小額稅捐，並成立全國性的教育信託基金來取代地方財產稅。

學校補助券也許能改善學校的品質，但仍無法防止最貧窮、學習和行爲問題最嚴重的兒童被分到最差的學校。有一個辦法是根據家庭需要的程度來給予不同的補助券。家境最窮的小孩可以得到最多補助，學校就有更高的意願爭取他們入學。

打破貧民聚居的方法之一是發放住宅補助券給所有貧窮家庭，讓他們住得起高收入社區。有一些證據顯示，窮人家的小孩如果能搬到高收入社區，表現會比留在貧民區的小孩好。此外，還可以要求建商在高級社區保留一定比例給低收入戶。這種「包容型社區」在美國各地都有成功的案例。我們也可以禁止民營保險公司根據居住地點、收入高低或基因組織來收取高保費。

我們要用各種方法讓不同族群、收入和年齡的社區產生互動。社區的非營利機構應該將這種橋梁工作當成主要目標，宗教團體尤其適合去打破鴻溝。大學也應該多和當地的貧窮中學聯繫：大學生可以去做課外輔導，大學教師可以多開一些課程讓學校老師瞭解最新的研究，也應該多提供獎學金給優秀的高中生。

這些建議只是開端，不是完整的改革方案，我只是提出一些可行之道來拋磚引玉。我這些建議的基本理念是：既不堅持守舊，也不要走完全自由放任的極端，一個均衡的社會應該力求緩和經濟轉型的衝擊，使大多數人跟得上發展，生活更富足、更有凝聚力、更平等、心理更健康。雖然做這些事必須花錢，但一個有活力的經濟體完全負擔得起。我相信爲了社會和個人的詳和，花這些錢絕對值得。

有些人會說有錢人沒有義務負擔這些花費，他們會拒絕付出。在必要的時候，他們會把錢搬到荷屬安地列斯群島或任何一個世外桃源。但我認爲這種看法太悲觀了。雖然篩選機制很強大，但大多數有錢人仍有社會忠誠度，並不想看到社會分崩離析。事實上，篩選機制本身已使得想採取積極行動的人卻步，因爲個人的犧牲（搬到窮社區、把小孩送到窮學校）會帶來比貧富混居時更重的負擔。

篩選機制也使有錢人看不到窮人的生活狀況，或讓他們能假裝以爲每個人都和他們一樣。只有扭轉篩選機制才能恢復社會整體意識。此外，如果有錢人知道不付出會引起破壞經濟活力的貿易保護主義和新盧德主義，長期成本更高，他們會較樂意付出。貧富差距過高會危害社會的和平穩定，有錢人一樣逃不了。終有一些有錢人願意換取經濟安全，降低突來的風險。

三種說法

我們站在新時代的懸崖邊緣。發展了二十年的經濟和科技實力正要到達顛峰，將更深刻地改變個人和社會生活。我們無法再回復舊的工作型態和安全感、舊的家庭和社區結構。前方是什麼呢？我們享受新經濟的絕佳交易，震驚於新科技的強大能量，目眩於各種迅速致富的機會。然而道德基礎何在？我們的忠誠和情感要歸往何方？朋友、家人和社區要擺在哪裡？我們該如何定義個人和社會的成功？

個人成功的標準當然不能只看財富，社會成功的標準也不能只看國民生產毛額。成功是取決於精神基礎、人際關係的豐富性、家庭的穩固和社區的品質。然而，大多數人盲目地走入新時代，只知道自己是消費者和投資者，對其他事物毫不在乎。

我們至少看到三種說法。第一種是非常積極的說法，一味歌頌新經濟的神奇。新經濟的絕佳交易確實大幅改進了物質生活，許多產品和服務以更便宜、更快、功能更強大的形式出現。我們的壽命會更長，生活也更多彩多姿。新經濟的活力確實沒話說。但光憑這些絕佳交易不足以證明我們以其他生活所付出的代價是值得的。

第二種是恐慌性的說法，大談自由資本主義的危險及掠奪性、跨國公司和國際金融的力量與貪婪，以及移民、外國人和少數民族的威脅。美國與世界各國的左派和右派都越來越關注這些問題。由於新經濟造成大規模的改變與混亂（這只是剛開始），許多人的害怕或迷惘其實可被理解。先進國家的工人幾十年來面臨失業和收入銳減的問題，如果高薪專業人士和服務業也有這麼一天，那還得了？但這種恐慌錯怪了對象。他們以爲亂源是跨國企業、全球化、國際資本流動、移民和少數民族，但這是倒果爲因。跨國企業、資本流動和移民只是反映出世界各地消費者和投資者的選擇性更大、轉換性更強、競爭性更高的事實而已。抗議最大聲的人也常常是從新經濟獲得很多好處的人。

第三種是比較個人性的說法，只談個人如何在新經濟中維持平衡。當我們更賣命工作、更努力推銷自己，當我們完全服膺市場導向（「要有致富的勇氣」）的同時，很多人開始擔心家庭、朋友、社區和自我的處境。但我們通常只從個人的角度來看問題。如果覺得自己在哪方面做不好，我們只會責怪自己沒有扮演好父母、配偶、朋友、工作者或公民的角色，卻忽略了背後有一股更大的力量使個人無法達到「更好的平衡」。

以上三種說法反映的是同一個現象。有些人同時接受三種說法，卻沒有看到其中的關連。他們享受美妙的交易，煩惱跨國企業、貿易和移民的危害，又擔心工作會剝奪其他生活。但若要有效處理眼前的巨大抉擇，就必須理解這三種說法的關連。

現在正是我們討論「經濟動力」和「社會祥和」如何融合，以及公眾如何抉擇以達成平衡的時候。在這個絕佳交易的時代，成功的標準是什麼？新經濟帶來巨大的利益，但也造成社會失序和個人不安。一切都在強化。每個社會都將面臨更大的動亂，每個人都將面臨工作帶來的更大壓力。

這種討論不只是經濟議題，事實上更像道德議題。我們既不是新經濟體的傀儡，也不是科技發展的奴隸。我們不該把新經濟的陰暗面歸咎於別人。作爲公民，我們有能力去調整新經濟體以符合我們的需求，塑造新的文明。每一個社會都有做這種選擇的能力及義務。這些選擇將建構市場，決定家庭和社區的運作方式，個人也在其中求取平衡，社會透過這些選擇而自我定位。無論如何，這些選擇是逃避不了的，差別只在於我們是集體公開地選擇，還是獨自偷偷地選擇。

The Eurasian Publishing Group
圓神出版事業機構
用心與你對話・視野無限寬廣
先覺出版社
Prophet Press
http://www.eurasian.com.tw　　inquiries@mail.eurasian.com.tw

社會觀察 010

賣命工作的誘惑——新經濟的矛盾與選擇

作　　者／羅伯・萊奇（Robert B. Reich）
譯　　者／梁文傑
發 行 人／簡志忠
資深主編／陳秋月
出 版 者／先覺出版股份有限公司
地　　址／台北市南京東路四段50號6樓之1
電　　話／（02）2570-3939
傳　　真／（02）2570-3636
郵撥帳號／19268298　先覺出版股份有限公司
責任編輯／黃威仁
美術編輯／劉鳳剛
校　　對／皮海屏、黃威仁
排　　版／陳怡汎
法律顧問／圓神出版事業機構法律顧問　許文彬律師
印　　刷／祥峯印刷廠
2002 年 7 月　初版

THE FUTURE OF SUCCESS

定價 260元　　ISBN 957-607-795-8

國家圖書館出版品預行編目資料

賣命工作的誘惑：新經濟的矛盾與選擇／羅伯・萊奇（Robert B. Reich）作；
梁文傑 譯. -- 初版. -- 臺北市 ： 先覺，
2002〔民91〕
面 ； 公分. --（社會觀察系列；10）
譯自：The future of success
ISBN 957-607-795-8（平裝）
1. 職業社會學 2.職業倫理

542.7 91008462